Quando termina
É PORQUE
ACABOU
juntando os caquinhos
E DANDO A VOLTA POR CIMA

GREG BEHRENDT
AMIIRA RUOTOLA-BEHRENDT

Quando termina É PORQUE ACABOU

juntando os caquinhos E DANDO A VOLTA POR CIMA

TRADUÇÃO DE ALYDA CHRISTINA SAUER

Rocco

TÍTULO ORIGINAL
It's called a breakup because it's broken

EDITORA ROCCO LTDA.
Av. Presidente Wilson, 231 – 8º andar
20030-021 - Rio de Janeiro, RJ
Tel.: (21) 3525-2000 - Fax: (21) 3525-2001
rocco@rocco.com.br / www.rocco.com.br

Printed in Brazil/Impresso no Brasil

Preparação de originais: Mônica Martins Figueiredo

PROJETO GRÁFICO: Izabel Barreto

ILUSTRAÇÕES: Mônica Lopes

CIP-Brasil. Catalogação-na-fonte.
Sindicato Nacional dos Editores de Livros, RJ.

B365q Behrendt, Greg
Quando termina é porque acabou: juntando os caquinhos e dando a volta por cima
/ Greg Behrendt, Amiira Ruotola-Behrendt; tradução de Alyda Christina Sauer. – Rio de Janeiro: Rocco, 2006.

Tradução de: It's called a breakup because it's broken
Apêndice
ISBN 85-325-2109-6

1. Relações homem-mulher. 2. Mulheres – Psicologia.
I. Ruotola-Behrendt, Amiira. II. Título

06-2791 CDD-158.2
CDU-159.942

ESTE LIVRO É PARA
AS VERDADEIRAS
E PODEROSAS

SUMÁRIO

PARTE DOIS A superação em grande estilo

INTRODUÇÃO do Greg

Muito, muito tempo atrás, numa galáxia triste e distante, eu namorava uma mulher descoladíssima e fria como uma pedra de gelo. E, quando digo namorava, o que realmente quero dizer é que estava perdidamente apaixonado por ela, enquanto ela só achava que eu era "um cara muito legal". Nem preciso dizer que as coisas não deram certo. O fim do caso foi uma daquelas situações constrangedoras em que a gente mora junto, dorme na mesma cama, mas não faz mais nenhum programa junto. "Com licença, eu sei que você está saindo com outro, mas posso usar uma ponta desse travesseiro?" Ai! Quem faz isso? É, eu mesmo. Estava tão perturbado (leia-se: apaixonado por não ter o que eu queria) por aquela garota que tinha certeza de que ficando perto dela, aceitando qualquer migalha que ela jogasse para mim e me embebedando toda noite até adormecer, ela ia acabar vendo graça em mim outra vez e me querer de volta. Bem, ela não demorou muito a se mandar. Foi para Nova York cuidar da carreira e, o que é mais importante, do seu novo homem.

Agora você deve estar pensando que, depois de alguém largar você por outra pessoa, mudar para outra cidade, no outro extremo do país, você ia acabar entendendo que tudo terminou, porque terminou mesmo. Mas eu não. Estava apaixonado pela idéia romântica e completamente equivocada de que conseguiria conquistá-la de volta. E como faria isso? Telefonemas tarde da noite, completamente de porre, implorando e chorando. Parabéns! Isso é legal? Naaaaaaada legal e também nem um pouco eficaz. Além de arrastar meu coração pela sarjeta, estava fazendo a mesma coisa com a minha dignidade. E assim consegui ficar ainda mais arrasado, passando de alguém que ela não amava mais para alguém de quem ela sentia pena e evitava. Agora, justiça seja feita, essa garota, especificamente, era paciente e tolerante comigo, mas eu estava desgraçando a vida dela. Comecei a afastar meus bons amigos com essa obsessão, meu trabalho começou a decair e a minha aparência ficou péssima. E, pior, eu bebia como se vivesse a véspera do dia da promulgação da Lei Seca.

Bem, uma noite, depois de muitas doses de tequila a mais, resolvi telefonar para a srta. Nova York só para ver se tinha acontecido alguma mudança na idéia fixa que tinha de não ser a mulher certa para mim (e é agora que a história fica boa). Na época, ela estava hospedada no Hotel New York Paramount, esperando vagar o apartamento onde iria morar. Disquei o número que tinha decorado... "Paramount Hotel", disse um cara que atendeu. Nesse momento me dei conta de que deviam ser duas e meia da madrugada em Los Angeles, portanto cinco e meia da manhã em Nova York. Não sei a hora exata porque os números não faziam sentido nenhum àquela altura. Bom começo. Então o recepcionista atendeu. "Paramount Hotel. Qual ramal o senhor deseja?" Bem, eu estava tão bêbado que nem conseguia pronunciar o nome da minha namorada. É sério, naquela hora teria mais sentido se eu tivesse latido feito um cachorro. O recepcionista disse: "Desculpe, senhor, pode repetir?" Tentei novamente, e não consegui. "Senhor, talvez prefira soletrar?" (Ai, meu Deus, cara! Tenha um pouco de amor-próprio. Largue esse telefone, Greg!) Mas não larguei. Arrisquei soletrar o nome dela. Ele acabou entendendo quem eu estava procurando. Mas, logo antes do recepcionista ligar para o ramal do quarto, ele disse uma coisa superespantosa: "Tem certeza de que quer fazer essa ligação, senhor?" O quê? eu pensei. Está brincando comigo? E, da escuridão ébria, saiu essa voz anônima cheia de preocupação. "Se tenho certeza que quero fazer essa ligação?" Então, tive um momento de inspiração. Não, pensei, não quero fazer essa ligação. Já fiz isso antes. Essas ligações nunca funcionam. Essas ligações sempre pioram as coisas. Essas ligações me afastam cada vez mais de onde quero estar. Um lugar digno e tranqüilo. "Não", eu disse. "Não quero fazer essa ligação. Obrigado." Desliguei e desmaiei, completamente vestido, com os derradeiros fiapos da minha dignidade ainda intactos.

No dia seguinte, de ressaca e triste, me lembrei da voz do outro lado da linha. A voz que tinha dito "Tem certeza de que quer fazer essa ligação?". Então, pensei, não seria maravilhoso ter essa voz na sua cabeça o tempo todo? Um companheiro exclusivo de fim de relacionamento, alguém que está lá para garantir que você não faça a ligação nefasta, que não dê a passadinha equivocada pela frente da casa dela, que não resolva entrar na pele dela para poder conhecer seus pensamentos? Foi por isso que inventei este livro. Este livro é essa voz. Nós somos aqueles amigos que se preocupam com você e que querem que você faça o que é certo. Terminar um relacionamento é um sofrimento filho da p#*a, mas não é o fim do mundo. A dor é temporária e, se cuidarmos dela com jeito, pode até representar uma mudança de vida. O nosso objetivo é ajudá-la a transformar o fim do seu relacionamento no acontecimento que vai mudar sua vida para melhor. Afinal de contas... você é uma mulher poderosa.

GREG

INTRODUÇÃO da Amiira

Já passa das duas da madrugada. Você está no seu terceiro copo de vinho. Usa esse blusão porque ainda tem o cheiro dele (e francamente, ele nunca cheirou tão bem assim, mas vou dar um desconto nessa porque também já fiz isso). Já fui a mulher mais triste do mundo, com o coração estraçalhado e a certeza de que superar isso era impossível. Fui a mulher tão apaixonada por alguém incapaz de dar o que eu precisava num relacionamento, que, além de casar com ele, desisti feliz da vida dos últimos cacos da minha auto-estima para ficar com ele. Fui a mulher que não só sofreu por todo um relacionamento nada saudável e desmoralizante, mas que também tentou voltar, com a esperança de que o tempo longe tivesse servido de inspiração para ele aprender a me amar a ponto de mudar... ou mesmo só tentar. E quer saber? Não mudou. Fui dominada pelo desespero, confusão mental, raiva – fui realmente destruída pelo fim de um relacionamento que pensei que ia durar para sempre. Chorei sobre copos e mais copos de Pinot Grigio, fumei maços e maços de cigarro, perdi o apetite, a disposição para dormir e a capacidade de funcionar adequadamente. Fiquei obcecada, tive recaídas, fiquei de saco cheio, busquei ajuda profissional, apoio dos amigos, mudei para o extremo oposto do país, adotei cães, fiz novas amizades, compras em excesso, e até tive outros namorados que me amaram apesar de eu estar tão presa ao passado que era incapaz de dar a *eles* o que queriam de mim. Para dizer a verdade, continuei nessa viagem até muito tempo depois do cara casar com outra. Por fora, usava a ilusão de que tinha superado tudo e que o fim do casamento foi melhor para nós dois. Mas essa farsa era só fumaça, espelhos e palavras vazias. Ter o coração partido é como ter as costelas fraturadas. Por fora, parece que não há nada de errado, mas dói quando respiramos. Posso dizer que minhas costelas ficaram fraturadas muito tempo.

Agora, talvez você se surpreenda ao saber que em todas as outras áreas da minha vida eu funcionava com segurança e era bem-sucedida. É verdade. Tinha uma função com poder, ganhava bem, montes de amigos, um apartamento maravilhoso, roupas boas, gosto excelente para música etc... Mas não sei por que levei uma eternidade para superar a perda desse cara. Ele era a minha criptonita. E, como o Super-Homem, fiquei indefesa no rastro dela. Mas se você viu os filmes, sabe que o Super-Homem sempre descobre um jeito de se livrar da criptonita. E, felizmente, eu também descobri.

Bom, derrotar a criptonita e superar um coração partido é duro demais. E também nos dá uma sensação imensa de poder. Mas a vitória ainda maior é finalmente viver sua própria vida de novo, sem a presença constante da dor-de-cotovelo. Esse é o objetivo e estamos aqui para ajudá-la a chegar lá. Já estive onde você está agora, arrasada a ponto de não conseguir me livrar da idéia de que minha vida não estava saindo do jeito que planejara. Mas, sabe de uma coisa? Depois de passar por isso e de começar a viver minha vida de um modo totalmente diferente, tomando decisões mais sensatas e exigindo mais de mim mesma e para mim, foi como acertar na loteria, como nunca imaginei. Hoje a minha vida está ainda melhor do que eu jamais sonhei ou planejei. Tenho um marido que adoro e cujo amor e dedicação a mim me levam às alturas todos os dias. Tenho duas filhas lindas que são as pessoas mais engraçadas e deliciosas que tive a alegria de conhecer. E tenho os melhores amigos e a melhor família do mundo, e sou grata por isso todos os dias. E teria perdido todas essas coisas maravilhosas se desperdiçasse a minha vida pastando atrás do meu ex e continuando presa à minha dor. É como minha avó sempre dizia: "Mesmo com toda a maionese do mundo, não se pode fazer salada de frango com titica." Pode aplicar esse sábio conselho ao seu antigo relacionamento.

Com amor,
AMIIRA

O QUE VOCÊ TEM PELA FRENTE

Então, como é que uma mulher resolvidíssima como você acaba com a aposta vencedora da loteria do sofrimento? Um pote de dor-de-cotovelo que parece infinito, que não vai dividir com ninguém. Não quer dizer, no entanto, que você esteja sozinha. Para dizer a verdade, como demonstram as nossas histórias, todo mundo passa por isso. Mas tem uma coisa que precisa saber neste momento: VOCÊ VAI SUPERAR ISSO. E, como todos os ganhadores da loteria, pode receber tudo de uma vez e resolver o que vai fazer com isso, OU pode distribuir em prestações anuais e fazer o prêmio durar por muito e muito tempo. Nós preferimos a primeira opção. Claro que é menos sofrimento do que ficar curtindo isso durante anos, mas, se você encarar toda a dor agora, pode resolver o que vai fazer com ela. Como investir, como gastar, como deitar e rolar com ela... ou como livrar-se dela.

O fim de um relacionamento é uma das coisas mais dolorosas que podem acontecer com as pessoas convidadas para o concerto chamado vida. Nós reconhecemos isso e de jeito nenhum queremos subestimar seu coração partido. Mas demos um tom humorístico a este livro de propósito, com o intuito de distraí-la desses sentimentos muito concretos e avassaladores que está tendo. Pretendemos dar conselhos sinceros e sugestões práticas para enfrentar essa situação desesperadora e também para redecorar sua sala de estar. O quê?, você pergunta. Pode acreditar, tudo isso faz parte do processo.

Se você está lendo o nosso livro agora, deve ser porque foi abandonada, está com o coração despedaçado, continua vidrada no seu ex, ou até todas as alternativas acima. Talvez você tenha terminado com ele e agora queira voltar atrás. Vamos cuidar de você num instante, mas temos certeza de que tomou a decisão certa. Se foi você que disse, ou se ouviu o discurso "Não é você, o problema sou eu", por mais difícil que possa ser escutar isso agora, vocês não combinavam mesmo. Sabemos que você queria que fossem o casal perfeito, e que espera que digamos que o que está acontecendo não é real. Que ele ou ela, se você for homem, vai bater na sua porta amanhã, implorando para voltar, e que todo o seu sofrimento e toda a sua dor-de-cotovelo vão acabar. Que existe um meio simples de consertar todos os problemas, e que, se você se esforçar apenas um pouquinho mais, ainda poderá ter o "viveram felizes para sempre" que imaginou. Você quer que a gente diga aqui que as pessoas *podem* mudar, só que a verdade mesmo é que *quando termina é porque acabou*. E, mesmo que não consiga enxergar isso agora, se vocês terminaram, pelo menos uma pessoa no seu relacionamento sabe disso, bem lá no fundo. E se foi ele que terminou, significa que ele também não quer consertar nada.

A verdade mesmo é que o fim de um relacionamento é nadar ou se afogar. Algumas pessoas passam a vida inteira numa espiral emocional em queda livre porque não conseguem superar um amor perdido. Outras, notadamente você, usam isso como ponto de partida para reavaliar, reconstruir e possivelmente redecorar (não estávamos brincando quando falamos da sala de estar). Resumindo: isto pode ser o fim de um relacionamento ou a descoberta de uma nova vida. Você escolhe.

"Quem são vocês para me dar conselhos?" você grita, incomodando os outros fregueses da livraria. "Por que devo acreditar em vocês, aliás, para que continuar lendo isso?" Abaixe a voz, sua doida, todo mundo está olhando para você agora. Eis o que nós somos. Duas pessoas que já passaram por fins de relacionamentos que realmente destroçaram nossa auto-estima, acabaram com a nossa força de vontade, viraram nossas entranhas pelo avesso com tanto sofrimento, e nos quais fomos as vítimas passivas. Digamos apenas que essas separações foram nojentas, degradantes e que nos fizeram querer ficar deitados na cama pelo resto das nossas vidas. Graças a Deus não optamos por isso (pense só nas escaras e nas unhas imensas e curvadas que teríamos a essa altura). Aqueles fins de relacionamentos levaram ao que gostamos de considerar nosso casamento feliz (não se preocupe – não vai precisar ler sobre o nosso casamento a cada dez páginas. Não há nada pior do que um casal feliz no casamento dizendo para você como é. Só pensamos que é importante saber que as nossas piores experiências levaram ao que definimos como o que temos de melhor. Satisfeita?).

Este livro é diferente do *Ele simplesmente não está a fim de você.* Aquele livro foi feito especialmente para ajudá-la a descobrir quando o seu relacionamento não levava a lugar nenhum, ou se o seu namorado estava, digamos, na sua. Mas sabemos que, mesmo quando você percebe que ele simplesmente não está a fim de você, a parte mais difícil talvez continue sendo juntar coragem para terminar o relacionamento e seguir em frente. Terminar é assustador, doloroso, perturbador e traumático – mesmo quando você tem consciência, até um certo ponto, de que é a coisa certa. Por isso *Quando termina é porque acabou* foi criado para ajudá-la a escapar de um relacionamento nada satisfatório, mas, além disso, a superá-lo, para poder se preparar para as coisas melhores da vida que vai encontrar pela frente. No fim das contas, ele trata de ver se VOCÊ gosta bastante de você mesma para encarar a realidade, ver que o seu romance não estava funcionando, reconhecer que não proporcionava o que você precisava e merecia, para tirar você da depressão e capacitá-la para aproveitar a oportunidade que está diante de você. Porque, apesar de tudo parecer horrível neste momento, essa pode ser a melhor coisa que já aconteceu na sua vida.

Isso mesmo. Melhor do que quando você conseguiu seu primeiro apartamento, melhor do que quando descobriu aquele sapato Gucci numa promoção, melhor do que quando ganhou o Oscar de melhor atriz, ou seja lá o que povoa o seu sonho de consumo pessoal. Pense dessa maneira: quando você e o seu ex começaram esse relacionamento, eram dois carros-esporte novos em folha, rodando lado a lado. Eram elegantes, atraentes, sensuais e seguros, e a viagem era pura emoção. Depois de um tempo, você foi zigue quando ele foi zague, não estavam mais na mesma velocidade, um de vocês sempre tentando alcançar o outro, e acabaram batendo e destruindo completamente os carros. Quando o seguro pagou, um de vocês resolveu comprar um carro novo em vez de consertar o destruído. Para quem não tem carro, a tradução dessa metáfora é que você e seu ex (ou brevemente ex) não compartilham mais a crença de que vale a pena consertar o relacionamento. Um de vocês quer um carro totalmente novo. E, além disso, quem vai querer um relacionamento que, apesar do esforço para ser consertado, sempre morre quando muda de marcha? Essa pessoa não é você.

Quando termina é porque acabou. Portanto, nas próximas páginas você vai ficar sabendo que, na verdade, isso é uma coisa boa. Então, continue lendo, guerreira do fim do relacionamento! Da adversidade nasce a grandeza. As maiores recompensas da vida vêm dos maiores desafios, ou qualquer coisa assim. Muitos de nós descobriram o caminho para uma vida melhor e um amor mais verdadeiro quando estávamos com o coração partido. Alguns de nós até tinham, por acaso, uma caneta à mão para anotar provérbios adequados para ajudar a inspirá-la ou irritá-la nesse seu momento difícil. Então, vamos mergulhar de cabeça logo, porque não existe nada mais chato do que um livro de auto-ajuda que só tem provérbios! Fizemos o melhor possível para que este livro fosse muito mais que isso.

Nosso formato inclui uma seção de perguntas e respostas, um caderno de exercícios, histórias inéditas, de primeira mão, sobre os nossos fins de relacionamentos, e uma coisinha que gostamos de chamar de Confessionário Psicótico, ao qual você pode recorrer quando precisar de um consolo do tipo "pelo menos não estou tão mal assim" para alimentar sua auto-estima. As perguntas e os exemplos deste livro não vieram apenas das nossas experiências pessoais, mas das de nossos amigos e da extensa pesquisa que fizemos sobre separações, em que bem mais do que quinhentas pessoas partilharam conosco os detalhes sórdidos de seus fins de relacionamentos tristes mas verdadeiros. E você vai gostar de terem feito isso. Agora, vamos virar essa página e iniciar o processo para encontrar o seu caminho de volta para você mesma, só que bem mais descolada.

E SE VOCÊS AINDA ESTÃO JUNTOS?

Apenas saber que o seu relacionamento não está dando certo não torna o processo de acabar com ele nem um pouco mais fácil. Mesmo se você chegou à conclusão de que ele não está mais tão a fim de você, que você não está mais tão a fim dele, ou que os dois não estão mais tão a fim um do outro, isso não quer dizer que você conseguiu apertar o gatilho. Nós sabemos muito bem disso, e, para dizer a verdade, nós dois temos culpa no cartório por ter deixado relacionamentos que chegaram a becos sem saída se prolongar muito além do prazo de validade, porque a tarefa de pôr um fim nisso era difícil demais. É duro ter coragem para abandonar o conforto de um relacionamento, até mesmo quando a relação é ruim, e ficar sozinho por um tempo. E mais, é fácil encontrar motivos para não terminar: eu não quero ter de procurar outro apartamento, não tenho dinheiro para me sustentar sozinha, não terei acompanhante para o casamento da minha prima, não suporto nem pensar nele com outra.

Mas tem uma coisa que devemos lembrar: desperdiçar nosso tempo num relacionamento que acabou é exatamente isso: desperdício de tempo. Tempo que poderia ser utilizado para procurar e encontrar a pessoa que foi destinada a ser seu par perfeito. E o principal é que manter isso não trará benefício nenhum, será apenas procrastinação, adiar o inevitável. Continuar num relacionamento cuja vida depende de aparelhos não vai ressuscitá-lo. "Mas como vou superar isso?" Vamos ajudá-la. Foi para isso que escrevemos este livro. Então, faça um favor para vocês dois e termine logo. Pegue o telefone agora mesmo e diga a ele que vocês precisam conversar. Desligue isso da tomada de uma vez e venha conosco nesse caminho para o futuro maior e melhor que espera por você.

PARTE I

O FIM
DO RELACIONAMENTO

(Ou, como foi que uma mulher centrada como eu acabou se metendo nesse pesadelo agonizante?)

TOMADA INTERNA. APARTAMENTO DELE. NOITE.

Um casal bonito, quase trinta anos, sentado no sofá diante do fogo de uma lareira. O ambiente é romântico. Ele se levanta e anda de um lado para outro nervoso, dando uns goles numa garrafa de cerveja.

ELE: *Tem uma coisa que eu queria conversar com você.*
Ela deixa a taça de vinho na mesa de canto e verifica se os lábios estão suficientemente úmidos para o grande momento.

VOCÊ: *Podemos conversar sobre qualquer coisa. Por isso somos tão perfeitos um para o outro.*
Ele anda de um lado para outro na frente dela, procurando as palavras apropriadas.

ELE: *É que... já estamos juntos há um bom tempo. E passei por momentos muito felizes com você...*

VOCÊ: *Eu sei disso. É como se fôssemos feitos um para o outro!*

ELE: *Você é mesmo uma pessoa muito especial, e algum dia será a esposa perfeita...*

VOCÊ: *(animada) Sim???*
Ele se abaixa na frente dela e segura suas mãos. Ela nem acredita que aquilo está prestes a acontecer...

ELE: *... Só que não para mim. Acho que devemos conhecer outras pessoas...*
Ela obviamente não escuta o que ele diz, e interrompe...

VOCÊ: *Eu adoraria! (então entende) Espere aí, o que foi que você acabou de sugerir?*

ELE: *(aliviado) É mesmo? Que ótimo! Pensei que você ia ficar muito chateada. Estava pensando como ia lhe dizer isso há semanas.*
Ela se levanta, vai até a cozinha e começa a abrir todas as gavetas.

ELE: *O que você está procurando?*

VOCÊ: *Alguma coisa para bater em você.*

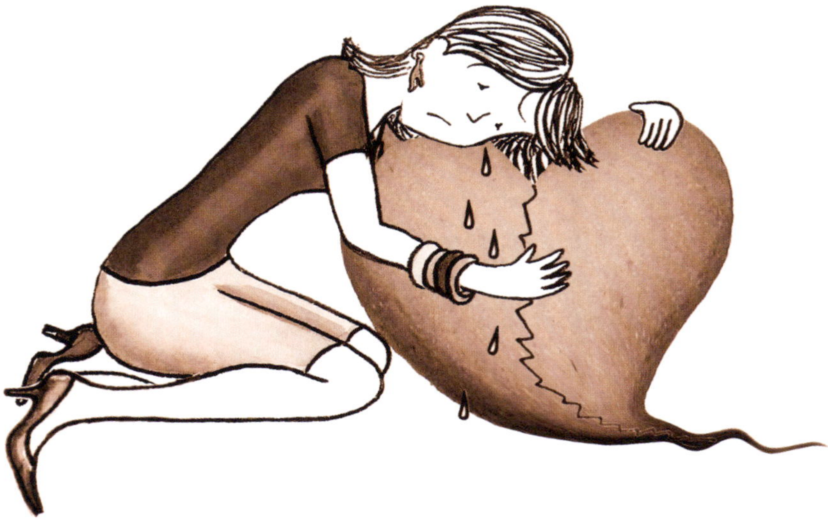

Capítulo um

Quando termina É PORQUE ACABOU

AAAAAAAAAAAAAAAAAAAAAAAAAAAAAAAAAIIIIIIIIII! P*#a que pariu, isso dói. Abala o mais profundo do seu ser. Você não estava preparada. Sabia que isso ia acabar acontecendo. Ia tomar a iniciativa. Só terminou com ele antes que ele terminasse com você. Vocês dois deviam ficar juntos para sempre. Você não gostava muito dele mesmo. Ele beijava tão bem. O sexo não era nenhuma maravilha. Você gostava muito da família dele. Ele odiava os seus amigos. Você odiava os sapatos dele. Você sente uma falta danada dele. Não há dúvida nenhuma: terminar é horrível. E agora você está aqui, segurando esse livro idiota sobre fim de relacionamentos porque, sinceramente, faria qualquer coisa para não se sentir assim e talvez este livro lance alguma luz no tormento que você está passando. Talvez consiga dormir um pouco esta noite. Ou parar de dormir o tempo todo.

Nessas primeiras horas, ou dias, ou semanas, depois do fim do seu relacionamento, tem uma verdade importantíssima que você precisa entender: algumas coisas não podem nem devem ser consertadas, especialmente aquele panaca que largou você, ou que a forçou a largá-lo. Acabou por algum motivo, e, mesmo que você esteja na fase de negação, bem lá no fundo já deve saber qual foi esse motivo. Mesmo se sentindo atônita com a decisão dele de terminar, no fim das contas é sempre a mesma coisa: o seu relacionamento, apesar de promissor, deixou de ser a coisa certa para um de vocês, ou para os dois. Acabou, de fato. Isso não torna o fim do relacionamento mais fácil de enfrentar, nem vai ajudar a aliviar essa avassaladora sensação de tristeza. Mas essa tristeza, por sua vez, não apaga o fato de que o relacionamento acabou. Se vocês chegaram a esse ponto, em que um de vocês ou os dois acham que a separação é o melhor que têm a fazer, os sinais são claros. E a partir de hoje, você não é o tipo de mulher que aceita uma coisa que não funciona, que guarda artigos danificados, seja um rádio, um par de sapatos ou um relacionamento. A sua vida não é uma liquidação de quinquilharias. É hora de se livrar de tudo que não funciona que você anda arrastando há dias, meses e talvez até anos, e de tomar a decisão ousada de começar a procurar coisas que funcionem. Aquelas que são novas, limpas, simples, fáceis, que funcionam tão bem que nem temos de pensar nelas. Ser a primeira a reconhecer que o relacionamento não deu certo não a torna merecedora de prêmio nenhum, apenas da sensação de culpa de ter de magoar os sentimentos de alguém. Por isso, apesar de você estar obviamente ferida, o fato de sair desse relacionamento enguiçado é a melhor coisa possível, mesmo que até agora não soubesse que tinha enguiçado.

"Mas algumas coisas *podem* ser consertadas", diz você. É verdade, mas será que o seu relacionamento pode? Tudo é possível, mas nós achamos que isso não deve ser. Em geral, se uma pessoa acha que a separação é a jogada certa, ela deve ter razão, mesmo que pareça um grande erro. Porque, a menos que sejam duas pessoas de macacão de operário, entrando nas trincheiras com fita adesiva, supercola e uma determinação inabalável, isso não vai acontecer. Precisa de mais argumentos para se convencer? Que tal isso: a pessoa que você amava deu uma boa e demorada olhada na pessoa incrível que você é, avaliou o relacionamento de vocês dois e disse: "Não, obrigado. Vou tentar a sorte em outra freguesia." Ou você disse isso para ele. De qualquer forma, isso já bastaria para você entender que não era uma união ideal e que não vale a pena vestir seu macacão por isso. Qualquer um que avalia você ou o seu relacionamento como algo descartável não vale o seu tempo, e muito menos suas lágrimas.

Neste exato momento, a sua cabeça deve estar trabalhando horas extras para encontrar todos os motivos para vocês continuarem juntos. Seu coração sofre e seu cérebro quer descobrir um jeito de acabar com essa dor. Mas lembre-se de que qualquer um desses motivos é basicamente irrelevante. A realidade nua e crua é que, mesmo que vocês dois tenham tudo o mais em comum, a única coisa que não têm em comum é acreditar que esse relacionamento pode funcionar. E isso, minha amiga, atropela o amor que os dois sentem por cachorrinhos, pela música da Dave Matthews Band e pela comida mexicana.

É difícil não vasculhar o cérebro em busca dos motivos que fizeram o relacionamento de vocês não funcionar, mas, às vezes, a única resposta verdadeira é a mais simples: as pessoas se juntam e se separam. É o antiqüíssimo vaivém dos relacionamentos. Alguns são jornadas breves, em outros duram a vida inteira. E isso também se aplica às amizades. Nós nos apegamos ao que é familiar e às vezes nos agarramos a coisas que são seguras e previsíveis, mesmo quando nos prejudicam. Grande parte do sofrimento de agora é, na realidade, medo. Medo das coisas serem diferentes daquelas das quais gostava, medo de nunca mais encontrar outro amor, medo de ficar sozinha, medo de ter de preencher a sua vida de outra maneira. Nós tememos o desconhecido. A resposta para todas as perguntas que rodopiam na sua cabeça – o que vou fazer nos fins de semana? Vou encontrar outro? – é: você só vai saber quando chegar lá. Isso é complicado e assustador. Mas, por enquanto, você tem de se concentrar no que realmente sabe, que você e ele não compartilham mais a crença de que o relacionamento tem futuro. Acabou e quanto mais tempo você se prender a um relacionamento sem saída, ou passar dias se lamentando por isso, menos tempo terá neste planeta para vivenciar um relacionamento maravilhoso.

Então respire fundo, reúna forças e entenda que isso vai continuar doendo por algum tempo. Não existe um remédio de efeito rápido para a pontada violenta do coração partido, mas, com este livro, vamos procurar tornar isso mais fácil para você. Você vai se sentir péssima dos pés à cabeça e passar por um turbilhão de emoções: irritação, tristeza, fúria, depressão, tédio... todas. O fato é que o tempo que levar para começar a se sentir maravilhosa de novo é diretamente proporcional à potência do sofrimento agora, especialmente se não foi você que terminou. Porque, no final das contas, alguém que você amava, em quem confiava e a quem admirava, rejeitou você, e isso dói demais. É difícil não levar para o lado pessoal. Mas... e agora vem a parte importante... a realidade é que eles se enganaram quanto a você. O seu relacionamento acabou, só que você não está acabada! Não importa o que aconteceu entre vocês dois, não importa o que você possa ou não ter feito de errado, você continua sendo uma pessoa incrível. E, apesar de talvez não acreditar nisso agora, o fim do seu relacionamento é o primeiro passo para encontrar alguém que realmente mereça a sua grandiosidade.

MAS GREG, QUERO FAZER UMAS PERGUNTAS

COMO PODE UM RELACIONAMENTO ACABAR ASSIM DE REPENTE?

Querido Greg,

Meu namorado e eu estamos juntos há três anos, e sempre tivemos um relacionamento perfeito. Passamos a morar juntos no ano passado e ele começou a falar em casamento, filhos, o pacote completo. Até me levou para ver umas alianças três semanas antes do Natal, por isso eu naturalmente imaginei que haveria uma embaixo da árvore para mim. Como achei que ia ganhar uma aliança de noivado, estourei o limite do meu cartão de crédito para comprar uma TV de plasma para ele de presente de Natal. Bem, na manhã de Natal, ele ficou chocado quando abriu a caixa com a TV de plasma. Mas isso não foi nada, perto do choque que eu tive quando abri o presente que ele me deu: um suéter de lã e um colar! Qual é? Então, no dia seguinte, ele me disse que não tinha certeza se "eu era a mulher certa para ele", e que achava que eu devia me mudar, que era melhor a gente dar um tempo para ele poder pôr as idéias em ordem!! Agora ele está com o apartamento e com a televisão de plasma que vou ficar pagando pelo resto da vida. Tentei fazer com que ele lembrasse como era bom quando estávamos juntos, que a idéia de casar tinha sido dele, mas ele vive se desculpando e dizendo que precisa de um tempo. Como é que alguém pode passar de querer se casar com você para nem querer conversar assim, sem mais nem menos? O que eu posso fazer para ele entender que devemos ficar juntos?

Por favor, responda.

Marla

Querida Doadora de Plasma,

Antes de mais nada, nunca compre uma TV de plasma para um homem antes de casar com ele (minha avó costumava dizer isso). Muitos homens acham que quando têm uma TV de plasma não precisam de namorada. Parece que o seu namorado é um deles. A verdade é que, se ele vai chegar à conclusão de que vocês dois devem ficar juntos, vai fazer isso sozinho. Não há nada que você possa fazer para ele querer ficar com você e, mais importante ainda, querer se casar com você. Uma das coisas mais nojentas e frustrantes da vida é que às vezes os relacionamentos simplesmente acabam, em geral sem motivo. Eu acredito mesmo que aconteça que tanto os homens como as mulheres apenas deixam de amar, mesmo quando houve muito amor no início. O que piora ainda mais no seu caso é que você ficou completamente sem visão – apesar do relacionamento já ter acabado do lado dele, ele obviamente fez com que acreditasse que os dois estavam no mesmo patamar emocional. Que droga de novidade, essa que você tem de enfrentar agora. Mas, quanto mais cedo encarar isso, mais rápido vai entender esse maravilhoso raciocínio novo: ei, mulher poderosa, você está indo para um lugar fabuloso e tem grandes possibilidades à sua frente. Também pode informá-lo que a boa educação sugere que, quando a mulher termina o namoro, ela deve devolver a aliança. E, quando é o homem que termina, ele deve devolver a TV.

MAS POR QUE ELE SIMPLESMENTE NÃO TERMINOU LOGO, EM VEZ DE ME FAZER TERMINAR COM ELE?

Querido Greg,

Estou namorando esse cara há oito meses. No início, nós só ficávamos de vez em quando, mas depois começamos a namorar sério. Estávamos pra-

ticamente vivendo um na casa do outro, raramente passávamos uma noite separados. Ele até me deu uma gaveta na casa dele e uma escova de dentes! Então, poucas semanas atrás, começou a agir de modo estranho, e perguntei se havia algum problema. Ele disse que as coisas tinham acontecido mais depressa do que ele havia previsto, e que, apesar de assustador, estava muito feliz com isso, que gostava muito mais de mim do que esperava. Eu pensei, que ótimo! Daí, ele de repente passou a ficar cansado demais para vir para a minha casa, ou tinha de acordar cedo no dia seguinte, e, pensando bem, chegava à conclusão de que não devia passar a noite aqui. E voltamos a nos ver só algumas noites por semana. Nada ótimo. Quando ele ficou realmente distante, eu tive certeza de que alguma coisa estava acontecendo, por isso verifiquei seus e-mails no celular um dia, quando ele estava no banheiro. E ficou muito claro, por todos os e-mails trocados com TamiLynn78, que ele andava se encontrando com outra. Então, cobrei isso dele e ele não negou, e eu disse que estava tudo acabado entre nós, e saí furiosa do apartamento dele. Agora, essa é a parte que ele devia vir correndo atrás de mim... só que ele não veio! Simplesmente me deixou ir e nunca mais soube dele. O que foi isso? Quero muito que ele me queira de volta e que sinta remorso por ter me magoado. É pedir demais?

Linda

Querida Sim É Pedir Demais,

Para começar, acho ótimo você ter verificado os e-mails dele, em vez de conversar. Percebe-se que vocês tinham um relacionamento maravilhoso, aberto, de confiança mútua, no qual você bisbilhotava as coisas pessoais dele enquanto ele traía você. Por que tinha de acabar? Vou dizer isso e você não vai gostar (mas entenda que eu sei do que estou falando). Ele terminou com você meses atrás e deixou o trabalho sujo para você. É um truque esquisito, passivo-agressivo, que os homens vêm aperfeiçoando há séculos. É possível que ele não quisesse magoá-la, ferir seus sentimentos, por isso se comportou de modo a forçá-la a acabar o namoro. Chamo isso de "Fim de Relacionamento Indireto". Homens (e mulheres) fazem isso há anos. E não é só isso, porque ele tinha um plano de fuga que envolvia outra cama para deitar. Que sem vergonha! Tenho certeza de que ele está sentindo aquele remorso que você esperava. A única coisa que ele fez de certo foi não procurar você. Você devia aceitar alegremente esse silêncio na comunicação porque o seu relacionamento já acabou há algum tempo, e, assim, apressar o fim do seu período de luto, porque está caminhando para algo melhor.

MAS COMO SABE QUE NÓS NÃO VAMOS VOLTAR?

Querido Greg,

Tenho um namorado há três anos, e resolvi morar com ele um mês atrás. Na verdade, foi idéia dele. Como o apartamento dele era maior, resolvemos que eu deixaria o meu e iria morar com ele. Estava tudo perfeito — pintamos as paredes com as cores de que mais gostamos e começamos a resolver quais móveis íamos aproveitar quando juntássemos nossas coisas. Então, na véspera da minha mudança, depois de eu ter avisado ao proprietário que ia desocupar o seu imóvel, e de ele já ter alugado para outra pessoa, meu namorado me disse que tinha pensado melhor e que eu não era "a mulher perfeita para ele". Ele achava que morar junto seria um erro e uma perda de tempo para nós dois, porque só ia atrasar o encontro dos "nossos destinos". Ele é uma pessoa incrível e não consigo me imaginar vivendo sem ele, e sei que, se tivesse dado mais um tempo, ia acabar descobrindo que somos o destino um do outro. Caras maravilhosos não são fáceis de encontrar. E ele obviamente gostava muito de mim para sugerir que morássemos juntos poucas semanas

atrás! Você não acha que devo ter paciência com ele, se realmente acredito que devemos ficar juntos?

Clarissa

Querida Filha do Destino,

Talvez você tenha inalado cheiro de tinta demais, mas ele realmente disse essas palavras, que você "não é a mulher perfeita para ele". Isso é bastante conclusivo nesse departamento e, apesar do momento realmente terrível, você tem de admirar a sinceridade do cara. Ele fez isso para poupar o tempo de vocês dois e o sofrimento também. Você não precisa gostar, não precisa sentir prazer nenhum com isso, mas precisa ouvir. Eu sei que isso dói prá c*#+!*o, mas vai continuar doendo se você não aceitar que acabou. Além disso, ele usou a palavra "destino". Que tipo de besteira de *New Age* é essa? As pessoas adoram pensar que podem controlar o destino, mas eu acho que destino é prestar atenção e ver o que realmente está acontecendo, e depois tomar a decisão inteligente, apesar de, às vezes, dolorosa, de seguir em frente sem a outra pessoa. Se vocês dois tiverem de ficar juntos, tenho certeza de que esse terceiro olho dele vai dizer isso, e então ele certamente vai mover montanhas para conquistá-la de novo. Mas também sei, com certeza, que ficar esperando e sofrendo por alguém que pode não voltar não é o seu destino. Por isso, entenda que quando termina é porque acabou, e siga em frente.

MAS E SE O NOSSO RELACIONAMENTO ERA REALMENTE MARAVILHOSO?

Querido Greg,

Uma história para você. Namorei um cara maravilhoso dois anos. Ele não me enganava, jamais mentia, sempre me fazia sentir que eu era especial, e me

tratava praticamente como uma rainha. Então, dois meses atrás, ele disse que não sente mais a mesma coisa por mim, que acha que o relacionamento não vai dar em nada e que espera que sejamos amigos. Tenho certeza que não existe outra mulher, por isso só posso acreditar na palavra dele, porque ele sempre jogou limpo comigo. O que aconteceu?

Jennifer

Querida Maravilhosa,

Alguns caras (e certas mulheres também) são maravilhosos. Na verdade, muitos são. É por isso que gostamos tanto deles, nos apaixonamos e ficamos decepcionados quando não funciona. Infelizmente é isso que acontece, às vezes. Duas pessoas num relacionamento se aproximam mais, ou se afastam, depois de um tempo. Às vezes, as duas coisas juntas, o que é mais espantoso ainda. Independente disso, é fato, e muito concreto, que o sentimento de alguém pode parar de aumentar sem nenhum motivo identificável. Você deve agradecer a sinceridade dele, a lembrança de um relacionamento saudável que terminou incólume, e o fato de ter descoberto que caras maravilhosos realmente existem, e que você acabará encontrando o cara certo para você, com quem poderá curtir um relacionamento bem longo. Você já encontrou um uma vez, vai encontrar outro. Eu juro.

MAS POR QUE CONTINUO SOFRENDO?

Querido Greg,

Meu namorado e eu terminamos há quase um ano, e eu ainda sofro com isso! Ficamos juntos só um ano e meio, como é que ainda não consegui superar? Dizem que precisamos da metade do tempo que durou o relacionamento para esquecer, mas essa equação não funcionou comigo. Juro que hoje dói tanto

quanto doía um ano atrás. Ainda penso nele todos os dias e me lembro de tudo de maravilhoso que tivemos juntos. Fico furiosa de pensar que ele simplesmente jogou tudo isso fora. Quanto tempo mais ainda tenho de sofrer, e como é que faço para superar isso?

Lauren

Querida O Tempo Não Passa,

Creio que alguém realmente disse que levamos a metade do tempo de duração do relacionamento para superar quando termina. Mas tem uma outra receita que talvez seja mais correta. Se o seu hamster de estimação morrer, você conta os anos que ele viveu, divide pelo número de patas e depois tira a raiz quadrada. OU, então, talvez, *equações matemáticas não se apliquem ao coração*. Acho que o tempo que levamos para melhorar depois do fim de um relacionamento, minha linda, é diretamente proporcional ao tempo que levamos para nos sentir melhor em relação a nós mesmos. Quando você está mal com você mesma, passa os filminhos na cabeça. Passa os grandes momentos que vocês dois tiveram juntos para poder ter certeza de que estragou tudo. Você volta aos erros que cometeu: "Se eu fosse mais magra, mais sexy, qualquer coisa" até "E aquela vez que eu incendiei o carro dele..." (Tudo bem, algumas coisas podem ter contribuído.) Então, você fica aí sentada, se desvalorizando. Pensa no que poderia ter dito, ou no que deveria ter feito, ou no que poderá dizer se ele voltar de joelhos, em vez de marcar sua presença neste momento e investir num futuro novo e melhor. Quando termina é porque acabou. Não pode ser consertado, por isso você tem de deixar para lá, e só aí seu sofrimento vai começar a diminuir. O que há de difícil nessa questão do tempo é que isso sempre demora. Sinto muito.

A MELHOR PIOR NOTÍCIA

A melhor pior notícia é que vocês terminaram. Você está bem no meio disso. Não há mais o medo de saber se, ou quando, vai acontecer, nem até que ponto você vai ficar arrasada. Você está vivendo esse momento e, como em tudo o mais na vida, a realidade nunca é tão ruim como você temia que fosse. Você não morreu, o mundo não acabou, a comida ainda tem um gosto decente e agora você tem tempo para procurar seus amigos, atualizar suas leituras e se espalhar na cama inteira, se não tiver nada melhor para fazer.

A parte pior mesmo é se adaptar a essa nova realidade e, claro, agüentar uma dor-de-cotovelo bem real. O que acontece com um relacionamento que termina e o sofrimento que vem junto é que as duas coisas não podem simplesmente ser desfeitas ou melhoradas. Até mesmo as separações mais consensuais costumam machucar mais um do que o outro, e podem levar a uma avalanche de emoções que demora algum tempo para passar. Mas o outro lado dessa moeda do fim do relacionamento – e aqui vai a melhor notícia – é que você também está se libertando de um relacionamento que não estava dando certo. Liberdade significa o fim da agonia, o fim do drama e o fim do tempo desperdiçado com alguém que não dava valor a quem você realmente é. Liberdade significa que você pode reprojetar a sua vida, e o céu é o limite – pode pegar todas as coisas que esperava ter no seu relacionamento, todos os seus sonhos sobre o que amor devia ser, qual sensação devia provocar e de que maneira devia funcionar, e encontrar um cara que realmente transforme tudo isso em realidade. Durante esse tempo em que você se sente arrasada e impotente, lembre que ainda controla pelo menos uma coisa: você mesma. E, apesar de não poder fazer com que alguém desfaça o fim do relacionamento, você pode determinar o que acon-

tece depois. É você que resolve se vai usar essa situação como uma virada na vida, se vai sofrer com dignidade, ou se vai deixar essa dor tomar conta de você e impedi-la de viver. Então, comece agora. Comece hoje. Não seja uma vítima do coração partido, seja uma superestrela no controle de tudo! (É, isso é meio brega, mas você sabe o que eu quero dizer.)

O QUE EU FIZ DE ERRADO

GREG

Aconteceu lentamente, e foi horrível. Ela saía com um colega de trabalho – vamos chamá-lo de Fulano. Sabe como é, saíam para beber, esse tipo de coisa. Só ela e o Fulano, que é muito bonitão. Muita gente é bonita. E divertida. Muita gente é bonita e divertida. Nada de mais. Então, um dia peguei os dois se atracando na frente da nossa casa, dentro do carro, e pensei: "Isso é suspeito." Mas ela devia estar apenas ajudando o Fulano a tirar alguma coisa da boca com a língua dela. Ela era assim mesmo. Logo depois disso, ela perdeu o interesse de ir para a cama comigo e até se mudou para um hotel por um tempo. Mesmo assim, insistia que eu era o namorado dela, e pensei: "Que ótimo." Então, um dia ela ligou para dizer que ia comprar um apartamento em Nova York.

– Nova York? Mas você mora e trabalha em Los Angeles!

– Eu sei, mas odeio isso aqui.

– Mas eu moro aqui.

– Você poderia vir para Nova York.

– E fazer o que aí?

Silêncio. Eu desliguei. Quando a sua namorada se muda para outra cidade, é porque há rachaduras bem reais nos alicerces do seu relacionamento. Percebi que podia estar perdendo a minha namorada. Precisava elaborar um plano, alguma maneira de impedi-la de se mudar. Algo dramático. Não é isso que fazem nos filmes? Drama? Sabe como é, ir para o jardim da casa dela com um CD player portátil no volume máximo, esse tipo de coisa. Falando sério, se eu pudesse me jogar no quarto de hotel onde ela estava através do vidro da janela, pendurado numa corda dourada, fantasiado de pirata e segurando um CD player, teria feito isso. O problema de ser o cara com o CD player portátil é que, no filme, ele é o herói, mas, na vida real, a polícia leva ele em cana. Então risquei o esquema do pirata. E resolvi terminar tudo para ver se ela voltava para mim. Como é que isso podia dar errado? Termino com ela, ela descobre o erro imenso que está cometendo, e desiste de se mudar para Nova York. Isto é, qual é a de Nova York? É só um monte de prédios altos e... aquele Fulano... Ai, merda!

Mas essa história ficou pior ainda. Mesmo juntando tudo, o amasso no carro, o hotel, Nova York e o Fulano, eu ainda tinha esperança!! E por que não teria? Ela estava transando com o Fulano, morando num hotel e ia se mudar para Nova York. Como eu não teria esperança? Quem acha que eu não devia? Uma pessoa normal olha para o que está acontecendo, faz uma avaliação e depois segue na direção que é menos dolorosa. Mas quando estamos sofrendo, não somos normais, e, por algum motivo, muitas vezes só nos interessamos por mais sofrimento ainda. Então, terminei o namoro com ela. E ela disse: "Ótimo." E depois pedi para ela me aceitar de volta. Caramba! Agora, eu estava dando a ela mais uma chance de me rejeitar, além de todo o resto, e adivinhe só... não havia meio de eu desistir daquela idéia. Muitas vezes me lembro desse dia e fico pensando por que não disse simplesmente para ela: "Ei, isso está muito ruim, mas parece que você não está a fim de mim, e já que você não resolve, eu vou ter de terminar." E depois devia me afastar calmamente e com muita dignidade, em vez de ter o comportamento descrito nas próximas páginas. Se você se encontra agora nessa situação em que eu estava, saiba que pode sair dela com dignidade, hoje mesmo. Confie em mim, por favor. Vai se arrepender se não confiar.

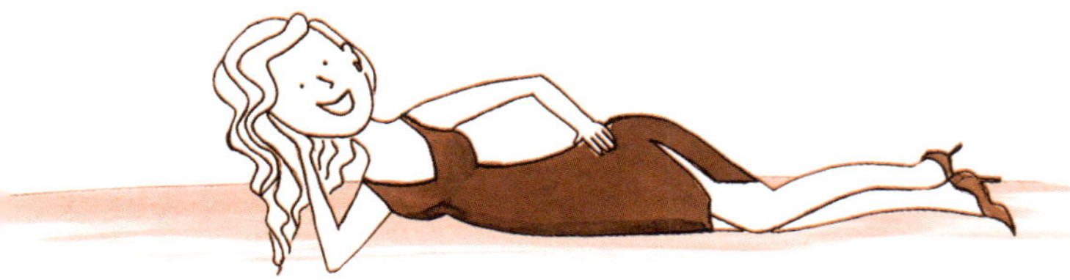

COMO CONSEGUI SOBREVIVER

AMIIRA

Num certo ponto, você descobre que não vai morrer com o coração partido, apesar de certamente contemplar essa possibilidade por um determinado período. Pode acreditar em mim, você chegará lá no seu tempo, com o seu ritmo. É só torcer para ser o mais rápido possível. No meu caso, precisei de anos de liga-de-novo/desliga-de-novo para finalmente ser capaz de entender que ele simplesmente não estava a fim de mim. Foram anos de muitas promessas, sem resultado prático. Fui rejeitada muitas vezes para ser puxada de volta pelos cordõezinhos depois, logo antes de sair porta afora de vez. Quando me lembro daquela época, fico envergonhada de reconhecer que ele não precisava fazer esforço quase nenhum para me convencer de voltar, ou de ficar. Estava tão desesperada para que ele me amasse, me quisesse, lutasse por mim, que ficava literalmente agradecida diante de qualquer ínfima migalha de esforço da parte dele. Eu havia criado tantas desculpas para a incapacidade dele de me tratar bem, que até o menor gesto era amplificado na minha cabeça. Depois de anos assim, consegui finalmente reanimar meu cérebro e percebi que, fora o fato de me sentir insegura e frágil quanto ao estado do meu relacionamento o tempo todo, nós dois também queríamos coisas inteiramente diferentes da vida! (Mesmo as mulheres mais inteligentes não escapam jamais de tapar o sol com a peneira em nome da esperança.) Ter um momento de clareza como esse vale o nosso reino inteiro. A liberdade que significa reconhecer que podemos ficar de pé com as próprias pernas e que podemos exigir ação é incrível. E foi isso que eu fiz. Sentei com ele num canto e disse que ele era um desperdício do meu tempo. Pelo fato de não assumir a postura de se empenhar, ou de não se empenhar de todo nos problemas que estávamos tendo, disse que ele me mantinha numa espécie de purgatório do relacionamento, e que já estava farta disso. Portanto, eu lhe dei uma opção – você pode resolver se esforçar por isso, ou não. Eu não ficaria ressentida. Propus isso como uma escolha porque, naquela altura, eu não estava com raiva, só queria mesmo saber. Precisava de uma resposta para não desperdiçar mais alguns anos da minha vida com promessas falsas. Ele disse que não podia tomar uma decisão naquele momento, e me pediu um tempo. Dei-lhe quatro semanas (que foi muita generosidade minha, levando em conta que ele já tinha dado a resposta... mas eu fazia o melhor que podia). Então, quatro semanas depois perguntei de novo e ele disse que ainda não sabia (era óbvio que ele tinha pensado na opção que eu dei com a mesma dedicação que empenhava em tudo no nosso relacionamento). Bem, isso era uma resposta, não era? Não se importar tanto, a ponto de nem pensar no assunto, parecia uma resposta, não parecia? Se quisesse mesmo ficar comigo, passaria pela cabeça dele pensar nisso. Se quisesse mesmo ficar comigo, faria tudo que pudesse para o relacionamento funcionar. Se quisesse ficar comigo, saberia.

Eu disse: *Você saberia*. Pensei anos a fio que "Eu não sei" e "Não sei se posso" eram frases que queriam dizer isso mesmo. Mas, a partir daquele momento, eu compreendi... "Eu não sei" significa NÃO! "Eu não sei" significa que sou covarde demais para dizer a verdade, porque não agüento esse confronto. "Eu não sei" significa por favor, faça o trabalho sujo por mim porque não quero ferir seus sentimentos, mais ainda do que já feri. É claro que fiquei triste. Eu tinha me casado com essa pessoa. Planejava passar a vida toda com ele. Naquele momento, todo o ar foi sugado dos meus pulmões e minha cabeça se encheu de ruídos sem sentido. Mas foi também o momento em que percebi que era hora de cuidar de mim. Nós resolvemos nos separar e, lembrando agora, acho que já fazia muito tempo que ele esperava por esse momento. Penso que, pelas suas atitudes, ele já estava tentando fazer com que eu terminasse desde sempre, mas a esperança me deixava cega.

Bom, eu tive uma sorte incrível de poder fazer o que fiz em seguida. Liguei para a minha melhor amiga em Los Angeles, contei para ela o que tinha acontecido e reservei uma passagem no vôo seguinte para lá. Passei uma semana longe da minha vida, dele, dos problemas. Bebi, fumei, chorei, assisti a alguns filmes tristes, dormi, paquerei outros caras, e me distraí. Depois de uma semana, voltei à realidade e ao peso que havia no meu coração. Quando um casamento ou qualquer relacionamento sério se desfaz, a tristeza e o sofrimento podem ser avassaladores. No meio de toda essa dor e frustração, você precisa compreender e se adaptar à idéia de que todo o seu universo está de cabeça para baixo, mesmo quando sabe que fez a coisa certa. Passar por uma separação é terrível. É uma experiência de corpo inteiro. Cada extremidade de nervo sente isso constantemente, e cada segundo parece uma eternidade na sua cabeça.

Então como suportar isso? Bem, na noite em que ele saiu de casa, duas de minhas melhores amigas foram jantar comigo, por isso não fiquei sozinha. Quase não comi, mas entornamos uma garrafa de vinho. Outra amiga minha telefonou para saber como eu estava e, quando me debulhei em lágrimas, ela pegou um táxi e passou a noite comigo, para a cama não parecer tão enorme e eu não ficar sozinha. Ela tratou de me fazer sair de casa e ir trabalhar no dia seguinte, e se ofereceu para ficar comigo até eu não precisar mais. Aceitei a ajuda das minhas amigas imediatamente, e elas me cercaram. O apoio e o amor delas me deram força suficiente para suportar momentos realmente tenebrosos.

IDÉIA IMPRESSIONANTE

Aquela coisa irritante que o seu ex fazia nunca mais vai incomodá-la.

PESSOA DEPRÊ

CADERNO DE EXERCÍCIOS DIÁRIOS E, ÀS VEZES, LIVRO DE RECEITAS

PALAVRAS CRUZADAS

Horizontais

1. Seu ex é um ....
2. O que ele fez foi a maior ....
3. Você é uma ....
4. Você merece ....

Verticais

1. Tire as letra "C", "A" e "R" da palavra "Carinho" e o que sobra é ....
2. O que não mata nos torna ....
3. Fim do relacionamento é igual a ....
4. Você vai .... isso

RESPOSTAS:

HORIZONTAIS

1. Babaca
2. Sacanagem
3. Poderosa
4. Superar

VERTICAIS

1. "inho": exatamente o que aquelezinho do seu ex é.
2. Bêbadas
3. Fim
4. Príncipe

CONFESSIONÁRIO PSICÓTICO

Depois que ele terminou comigo, eu disse que precisávamos dar uma volta de carro para conversar. Durante o passeio, eu saí com a costumeira conversa maluca de fim de relacionamento, soltei alguns impropérios, disse que ele tinha desperdiçado o meu tempo e coisas do gênero. Disse que de qualquer modo gostaria que ficássemos amigos para ver se não podíamos consertar o que havia de errado em nosso relacionamento. Ele disse que não achava isso uma boa idéia. Que nós precisávamos nos separar de vez mesmo. Creio que o que ele disse exatamente foi: "O problema não é você, sou eu. Não posso consertar o fato de não sentir mais a mesma coisa por você." Que original. Continuei pela estrada até uns vinte quilômetros fora da cidade (imagine fazendas, campos enormes e desertos, é essa a idéia). Ele começou a desconfiar e perguntou se não podíamos voltar. Respondi que não, e segui em frente. Depois de cinco minutos em silêncio, estacionei o carro e disse: "A sua parada é aqui." Ele desceu do carro, joguei em cima dele uma fornada de biscoitos que tinha feito recentemente para ele, berrei algumas obscenidades e disse: "Pronto, agora estamos completamente separados, e eu não posso consertar o fato de não sentir mais vontade de dar uma carona para você até sua casa." Devo mencionar que cinco minutos depois de descartá-lo no acostamento da estrada, começou a chover e as sirenes de aviso de tornado começaram a soar. Não me admirei nem um pouco quando esbarrei com ele um ano depois e ele evitou me olhar nos olhos!

Anônima

Raleigh, Carolina do Norte

TOMADA EXTERNA – RUA DE CHICAGO – DIA

Estella, empresária atraente de quarenta anos, caminha por uma rua movimentada, falando muito determinada ao celular. Está conversando com um representante da companhia telefônica.

REPRESENTANTE (VOZ EM OFF): *Fool Proof Wireless. Em que podemos atendê-la?*

ESTELLA: *É, estou tendo alguns problemas com o meu celular.*

REPRESENTANTE (V.O.): *Que tipo de problemas?*

ESTELLA: *Bem, a minha caixa de correio não está funcionando. Não recebo nenhuma mensagem há uma semana.*

REPRESENTANTE (V.O.): *A senhora está conseguindo fazer ligações do seu celular?*

ESTELLA: *Bem, estou... mas tenho quase certeza que minhas mensagens de texto não estão funcionando, porque quando envio uma...*

REPRESENTANTE (V.O.): *Fica sem resposta?*

ESTELLA: *(aliviada) É. E não tenho recebido nenhuma ligação.*

REPRESENTANTE (V.O.): *Vou verificar a linha para a senhora.*

ESTELLA: *Muito obrigada. (pausa) É que meus pais são idosos e podem precisar falar comigo se houver alguma emergência...*

REPRESENTANTE (V.O.): *Espere um minuto... Acho que estou vendo o problema...*
Ele não vai voltar.

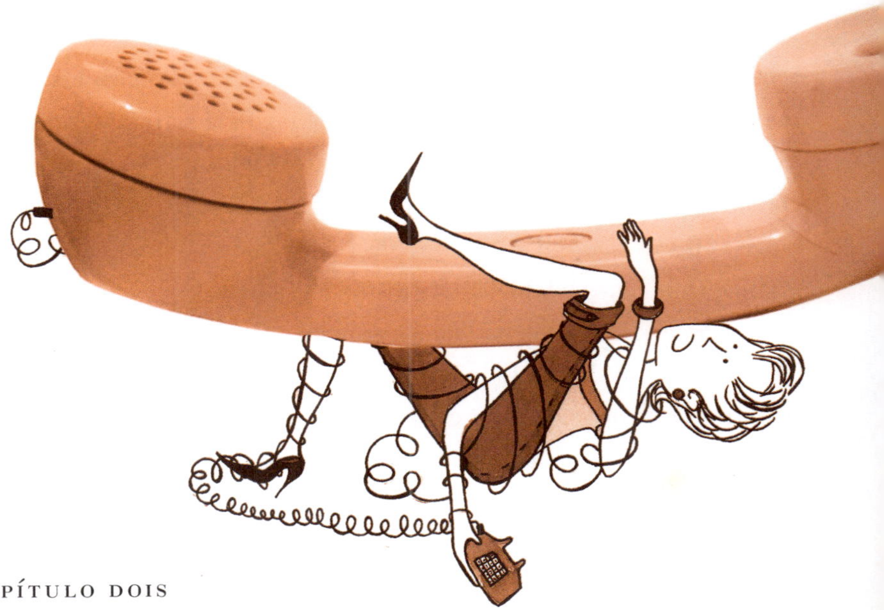

Capítulo dois

Não existem novas mensagens

O que as pessoas com coração partido faziam antes de existir os telefones? Voltavam para casa e ficavam olhando para a caixa de correspondência? Ou iam para a rua esperar a diligência? Corriam para a Western Union para ver se alguém tinha enviado mensagem em código Morse para elas? Ou olhavam para o céu à espera de um pombo correio? O telefone é, obviamente, uma das melhores invenções de todos os tempos, mas é também uma das armas mais letais no fim de um relacionamento. Ele zomba de você quando está em silêncio, faz com que seja atraída quando está bêbada, e fica felicíssimo de dizer para você: "Não há mensagens." De fato, ele é o barômetro com o qual medimos a temperatura do nosso coração partido. Se não tivéssemos de viver nesse mundo moderno, eu recomendaria que você se livrasse do seu agora mesmo. Porque o que você precisa fazer, antes de mais nada, é manter uma certa distância da pessoa que faz você sofrer. Mesmo se for a última coisa que você queira, é a de que você mais precisa. Essa distância auto-imposta vai acelerar a sua recuperação, mais do que qualquer outra coisa. E não é daquele tipo de você ir morar numa caverna e se alimentar de musgo; falo de uma distância saudável.

A primeira lei do fim do relacionamento da mulher inteligente é NÃO TELEFONAR PARA ELE! Isso vai ser tratado com mais detalhes depois, na parte dois, da superação em grande estilo, só que não é necessário um grande trabalho de detetive para descobrir por quê. Mas aqui está o principal motivo, que as pessoas costumam ignorar: ele *não quer* que você ligue (aliás, escreva isso num pedaço de papel e ponha ao lado do telefone). Ele terminou com você por algum motivo, bom ou mau, e não quer saber de você neste momento. Mesmo que ele tenha dito "Liga para mim" na última conversa que vocês tiveram. Deve ter dito isso só para aliviar a sensação de culpa por ter terminado o relacionamento com você. E se foi você que terminou, já devia ter parado de ligar para ele! É duro, nós sabemos, mas martele isso na sua cabeça antes de discar ou digitar o número dele... mesmo que tenham resolvido ser amigos no futuro. O mesmo se aplica a mensagens de texto, mensagens instantâneas, mensagens de voz, torpedos ou qualquer outra forma de comunicação. Os atos falam mais alto que as palavras, e telefonar para ele não diz: "Estou muito tranqüila com o fim do nosso namoro e só queria saber o que está acontecendo, porque sou uma pessoa adulta e madura." Ao contrário, diz: "Eu ainda preciso da sua aprovação e fico perdida sem você." E nós sabemos que não é esse o recado que você quer enviar para ele.

Falando de recados, eis a Lei número 2: não verifique os dele. JAMAIS. Para começo de conversa, é contra a lei. Em segundo lugar, faz você parecer doida. E, em terceiro lugar, qualquer coisa que você descobrir só vai piorar tudo mais ainda, ou confirmar seus temores mais sinistros. É como empilhar dor em cima de dor. Para se poupar da indignidade de ser o tipo de pessoa que invade a privacidade da secretária eletrônica, dos e-mails, mensagens eletrônicas, o que for, e só conclui o pior: que ele está tendo um caso com outra, e ela é a Gisele Bünchen. Então comece a cuidar disso.

Não nos entenda mal. Nós compreendemos a necessidade de manter contato, de se comunicar e de se informar nesse período nojento. Todos nós passamos por uma espécie de recolhimento quando subitamente perdemos alguém na vida, alguém de quem gostamos muito, e qualquer vislumbre dessas coisas, por menor que seja, pode ser um farol na sua escuridão. Mas repito, é como tentar ficar sóbrio e se permitir apenas um gole para conseguir sobreviver aquele dia. Ceder a essa necessidade em vez de ser suficientemente forte para superar isso acaba mantendo seu vício com seu ex e sua imobilidade, presa na angústia do fim do relacionamento. Uma das chaves para superar essa fase é manter-se sempre em movimento e não se permitir ficar muito tempo sentada, se lamentando. Odiamos parecer técnicos das equipes esportivas do colégio, mas você tem de malhar para tirar isso da cabeça, garota! Ficar se atormentando com o telefone, preocupada de ter perdido uma mensagem de voz, dando pulinhos de esperança toda vez que ele toca... isso não é culpa do seu ex, é uma coisa que está fazendo com você mesma, e precisa reconhecer isso. Pare um pouco e caia na real, veja por que está fazendo isso. Você realmente se sente melhor ligando para o celular dele e depois imaginando o que ele deve estar fazendo quando não atende? Você se sente no comando lendo os e-mails dele e vendo que a vida dele anda de vento em popa sem você? Achamos que não. E, se você for honesta com você mesma, vai concordar com isso.

Além da dor autêntica que está sentindo por ter sido rejeitada, magoada e decepcionada, você ainda fica arrancando as casquinhas. (Eca!) Nenhum desses atos combina com a mulher poderosa, forte, sensual e completamente segura que sabemos que você quer ser.

Em praticamente metade das pesquisas que recebemos, fazer ligações telefônicas compulsivas, telefonar quando se está de porre, verificar mensagens obsessivamente e invadir a privacidade da correspondência do ex estavam entre os maiores arrependimentos que as pessoas sentiam. O interessante é que quase todas admitiram que tinham se sentido pior ainda quando fizeram essas coisas, mas não conseguiam controlar o impulso ou a necessidade de fazê-las. O que explica bem como o coração partido afeta, de uma mesma maneira, a todos nós, e como podemos ser nossos piores inimigos nesses momentos de fragilidade. A maior lição nesse caso é que quando se trata do seu ex, qualquer impulso ou compulsão de falar com ele trará mais danos do que benefícios, e que você tem de combater essa compulsão com todo o seu empenho.

Algumas almas corajosas e super-humanas serviram de inspiração para nós com suas histórias, e esperamos que tenham o mesmo efeito sobre você. Uma mulher escreveu, dizendo que tinha jogado fora o seu cartão do telefone celular para não poder verificar as mensagens, porque já estava enlouquecendo com aquilo. Um homem nos escreveu e contou que pagou trezentos dólares para um amigo ficar com ele o tempo todo e impedi-lo de ligar para a ex. Uma mulher pediu para o vizinho tirar seus telefones do apartamento todas as noites e devolver de manhã, para ela não ceder à tentação. Bom, essas poderiam ser consideradas medidas extremas, mas, se pensar bem, na verdade são bem sacadas. Essas pessoas reconheceram que ficavam indefesas diante do telefone com a própria obsessão, e agiram de acordo. Trocar o cartão do celular, contratar uma babá e tirar os telefones da casa nas horas de maior fraqueza são medidas de autopreservação. E, mais que isso, elas dão a sensação de estar no controle! Essas pessoas não morreram por isso e não se privaram do conforto. Ao contrário, a ausência de contato por telefone fez com que mantivessem a dignidade quando ela parecia estar falhando. São modelos para os corações partidos!

Pense só, antes de digitar aquele número de novo, como vai se sentir bem daqui a um ano se puder se lembrar do que fez e não se sentir envergonhada, derrotada ou patética. Porque você sabe que daqui a um ano esse sofrimento será uma lembrança distante, e não a ferida aberta que é hoje. Responda a essa pergunta: quero realmente fazer essa ligação? Você tem a oportunidade de ser maior do que é neste exato momento. Por isso, não tenha medo de pedir ajuda. Seus amigos e sua família adoram você, e querem que supere tudo e saia dessa mais forte, e não arrasada. Deixe uma lista de pessoas para quem pode ligar – *em vez de* ligar para ele – ao lado do telefone. Telefone para elas e diga: "Estou ligando para você em vez de ligar para ele." Suas amigas vão entender e ajudá-la nisso. Há muita chance de elas já terem passado pela mesma coisa.

Acima de tudo, lembre que cada passo nesse processo é uma oportunidade de cuidar e de ser fiel a você mesma. Cada momento de dor, de fraqueza e de desespero porá você em posição de escolher de que forma vai reagir e como aliviará essa aflição. Ligar para ele não melhora nada, apenas puxa você de volta para o ciclo do coração partido. Ele é o passado. Você é o futuro.

Escreva isso e guarde com você o tempo todo:

Álcool + telefone = perigo.

Álcool + mensagem de texto = perigo.

Álcool + câmera do celular = divulgação por toda a Internet!

MAS GREG, QUERO FAZER UMAS PERGUNTAS

E SE ELE NÃO PUDER SABER QUE SOU EU QUE ESTOU LIGANDO?

Querido Greg,

O número do meu telefone aparece como "privado" no identificador de chamadas, portanto, mesmo que eu ligasse mil vezes, ele jamais teria como comprovar que fui eu. Às vezes só preciso saber se ele está em casa, se não saiu com outra, e ele não pode usar o bina porque bloqueei no meu telefone. Isso faz mal?

Jamie

Querida Identificador de Chamada,

Você anda engolindo montes de negações no café da manhã se pensa por um milésimo de segundo que ele **não** SABE que é você que fica ligando para ele o tempo todo. E o que você está fazendo só confirma a crença dele de que vocês dois não devem ficar juntos. Se isso faz mal?, você pergunta. Então responda uma coisa: como se sente gastando horas, dias, semanas ou meses sem viver a sua vida, porque está bancando a operadora de telemarketing? Ei, gostosa, se você se afastar do telefone vai dar o primeiro passo para viver a sua vida.

MAS ELE DISSE PARA EU LIGAR.

Querido Greg,

Quando terminamos, ele disse para eu "manter contato e dar notícias". Por isso eu sei que ele se preocupa comigo e que ainda gosta de mim, apesar de não estarmos mais juntos. Você não acha que manter as linhas de comunicação

abertas vai servir para ele entender mais depressa que sente a minha falta, do que se não nos falarmos mais?

Lindsay

Querida Comunicadora,

Ele disse isso porque dizer "Bem, eu nunca mais quero ver você, nem pintada" seria esquisito. "Ei, não vamos nos falar nunca mais", ou "Eu não quero ter notícias suas" não são frases que vão livrá-lo da conversa sobre o fim do relacionamento tão cedo. Vamos deixar que ele fique sabendo como você NÃO está ligando para ele. Sinceramente, ele ficará muito mais intrigado se você não telefonar, do que se você der notícias. O fato de não manter abertas as linhas de comunicação diz muita coisa sobre essa pessoa. Diz que ela seguiu com a vida dela e que não está interessada em desperdiçar seu valioso tempo com alguém que não deseja estar com ela. A verdade é essa: "manter contato e dar notícias" não significa exatamente isso. A tradução real é "Eu sinto muito por isso e espero que você fique bem, mas vou cuidar da minha vida". Portanto, você deve fazer isso também.

MAS E SE EU TIVER UM MOTIVO JUSTO?

Querido Greg,

Não posso parar de ligar para o meu ex-namorado. Tenho um motivo justo porque ainda tem coisas dele aqui em casa. Não que sejam as coisas mais valiosas do mundo, mas estou com um dos seus casacos preferidos, por isso não é nada assim tão descartável. Quando nos falamos, ele é muito simpático e temos conversas ótimas. Chegou a admitir que pensava em mim, mas nunca quer me encontrar para eu poder devolver as coisas. Vive dizendo para eu enviar pelo correio ou para deixar tudo do lado de fora, numa caixa, mas não quero que

roubem, ou que as coisas se percam no correio. Se ele não quisesse que eu ligasse, você não acha que ele diria isso?

Joanna

Querida Caixa Cheia de Desculpas,

Talvez o que ele esteja dizendo de verdade é que quer que você se envie pelo correio para ele dentro de uma caixa. Se vai ficar distorcendo assim as palavras, por que não escancarar logo? Pare de ligar para o seu ex-namorado. Estar com as coisas dele não é nenhum motivo justo para procurá-lo, é só uma desculpa. E toda vez que você usa essa desculpa, ele deixa bem claro que quer as coisas de volta mas que não quer ver você. Ora, você pode inventar desculpas também para o motivo desse comportamento dele. Ele pode estar com medo de você deflagrar uma avalanche de emoções, que ele não vai resistir e que vai acabar voando para os seus braços... mas nós dois sabemos que isso não é verdade. O resumo de tudo é que ele não quer mais ver você. Isso é horrível. Dói bastante. E toda ligação que você faz só está pedindo para ele rejeitá-la de novo. Pegue as coisas dele, deixe lá na entrada da casa dele... melhor ainda, deixe na entrada da sua casa e dê para os lixeiros para finalmente se livrar dessa caixa de desculpas para ligar para ele.

MAS E SE ELE LIGAR PARA MIM?

Querido Greg,

Tenho me comportado muito bem e não tenho telefonado para o meu ex. Mas o problema é que ele liga toda vez que bebe e quer conversar. Ainda estou completamente apaixonada por ele e não quero deixar de atender as ligações, mas, mesmo quando digo que não posso conversar, ele não aceita isso. Simplesmente aparece na minha porta, diz que sente minha falta e que cometeu um

erro enorme. Então uma coisa leva à outra e acabamos dormindo juntos, ele só vai embora na manhã seguinte. Sei que ele só está me usando para descarregar, mas não resisto. O que eu faço? Não quero ter de trocar o número do meu telefone... e se ele precisar de mim numa emergência?

Dawn

Dawn, Dawn, Dawn, Dawn,

O que ele diz é basicamente isso: "Eu realmente te amo às sextas-feiras, de 2 às 3 da madrugada. Demais. É sério." Sabe o que eu acho? Que você merece alguém que queira ficar com você o tempo todo, não só quando está de porre e querendo transar. Aplaudo a primeira parte da sua carta quando diz que está se comportando bem e que não tem ligado para ele. É muito difícil, e não é minha intenção subestimar essa sua força de vontade quando digo que atender às chamadas dele de porre e deixar que ele a manipule para levá-la para a cama é como dar um passo para frente e dezesseis para trás. Tenho certeza de que a visita de bêbado não tem nada a ver com o relacionamento carinhoso que vocês tiveram antes, por isso, a essa altura você está apenas aceitando migalhas de alguém que se desincumbiu de qualquer compromisso emocional, ou de qualquer responsabilidade em relação a você. Bloqueie o número dele ou troque o seu. E diga para ele tirar você do memorando dele que diz "em caso de emergência, entrar em contato com...". A propósito... sexo não é uma emergência.

MAS, E SE EU NÃO CONSEGUIR PARAR DE ENTRAR NAS MENSAGENS INSTANTÂNEAS DELE?

Querido Greg,

Eu sei a senha da conta de mensagens instantâneas do meu ex-namorado. Tive a impressão de que ele estava saindo com outra, por isso entrei como se

fosse ele (Garanhão) e comecei a conversar com a garota de quem tinha essa impressão (Sarah8476). Perguntei se tinha se divertido a noite anterior e o que ela achava que ia dar aquele nosso (deles) relacionamento. Quando ela disse que gostaria de namorar a sério, eu disse: "Isso não vai ser possível. Continuo apaixonado pela minha ex-namorada, com você é só transa. É só para isso que você serve mesmo." Ela saiu do ar. Foi muito gostoso acabar com aquilo! Mas agora não consigo mais parar. Entro no programa o tempo todo e converso com as garotas só para me certificar de que não estão saindo com ele, e, se percebo que estão paquerando, digo alguma coisa ridícula para que nunca mais falem com ele.

Zoë

Querida Encrenca da Mensagem Instantânea,

Conheço um jogo bom para você – que tal fingir que não é completamente maluca? Falando sério, o que aconteceu com você? O Garanhão seguiu em frente, ou pelo menos está tentando, e vai acabar conhecendo alguém que vai ficar com ele, apesar do apelido idiota que usa *online* e apesar da sua intromissão. Acho que chegou a hora de você dar uma boa olhada na pessoa que se tornou e de entender que surtou. Sabotar a vida amorosa do seu ex não vai modificar o fato de que ele não quer ficar com você. Só reduz você a um tipo de comportamento que não pode, de jeito nenhum, deixá-la feliz com quem é, porque é patético. E aposto que patética não é o que você pretendia ser nos seus sonhos de infância. Guarde o seu computador no armário, vá lá para fora e ponha um pouco de ar fresco nessa sua cabeça confusa.

MAS ESTOU ACOSTUMADA A FALAR COM ELE O TEMPO TODO.

Querido Greg,

Estava namorando meu ex fazia apenas alguns meses quando terminamos, mas durante esse período nós nos apaixonamos e fazíamos tudo juntos. Agora, que estamos separados, não consigo parar de pensar nele. Tudo me faz lembrar dele. Sempre que acontece alguma coisa e penso nele (o tempo todo), fico com vontade de ligar, ou de enviar um e-mail, ou uma mensagem instantânea. Ele é gentil quando faço isso, mas depois diz que tem de ir, e eu me sinto rejeitada. Como faço para acabar com esse vício? Sei que não devia falar com ele de jeito nenhum, mas não posso parar de repente. Isso está me matando.

Scarlett

Querida Você está me Matando,

Fim de namoro é assim mesmo. Não quero bancar o engraçadinho, mas, se não fosse assim, não haveria necessidade de escrever este livro. E você consegue, sim, parar com isso de uma vez, e *deve* fazer isso, porque quanto mais cedo tratar disso, mais cedo a dor vai passar. Ninguém está pedindo para você desmontar uma bomba atômica; isso é uma coisa que você é capaz de fazer. Além do mais, mesmo sendo educado, ele não quer mais ouvir falar de você. É muito simples: telefone para uma amiga em vez de ligar para ele. Compartilhe a sua vida com alguém que gosta de você. Viva um dia de cada vez e, sempre que vencer a mania, faça alguma coisa legal para você mesma, como recompensa.

MAS E SE NÓS ÉRAMOS OS MELHORES AMIGOS?

Querido Greg,

Meu melhor amigo Brian me disse uma noite, depois de umas doses a mais de tequila, que ele estava apaixonado por mim. Entenda que ele era meu melhor amigo, não só meu melhor amigo homem, naqueles últimos sete anos. Primeiro, eu

fiquei meio indecisa de levar o nosso relacionamento para outro nível, mas depois resolvi que não havia ninguém com quem eu quisesse estar mais do que ele, e aí mergulhamos os dois de cabeça. Nos primeiros meses, foi tudo uma maravilha e eu pensei: "Caramba! Vou acabar me casando com o meu melhor amigo." Bem, alguns meses depois ele decidiu que estávamos melhor como amigos, afinal, e quis voltar a ser como éramos antes. Fiquei arrasada! Eu realmente me apaixonei por ele e agora não posso simplesmente voltar a ser apenas amiga. Eu morreria, literalmente, se ele começasse a me contar que está saindo com outras, do jeito que fazia antes de tudo isso começar. Disse que não podia ser amiga dele, pelo menos não por um tempo, mas agora estou enfrentando a separação mais dolorosa de toda a minha vida porque perdi meu namorado e, o que é pior, meu confidente mais íntimo, a pessoa com quem eu compartilhava tudo! É dificílimo não procurá-lo! Como posso enfrentar uma coisa dessas sem o meu melhor amigo?

Jackie

Querida Melhores Amigos Para Sempre,

Conheça sua nova melhor amiga: você. E sua nova melhor amiga (que é igualzinha a você) quer que você saiba que, apesar das pessoas sempre quererem continuar amigas depois da separação, isso é praticamente impossível. Posso estar errado, mas melhor amigo ou amiga não é alguém que faz você se sentir péssima e triste toda vez que vocês se encontram. Por isso, não entre nessa. É como fazer um alcoólatra não beber em um bar. É difícil, injusto e só fará seu sofrimento durar mais porque você não poderá se distanciar dele. Lembre que a vida é longa, e se vocês tiverem mesmo de ser amigos, serão um dia, mas não hoje. Isso é crucial: quanto mais cedo você parar de ligar para ele, estar com ele, e tratar de se curar, mais rápido chegará o dia em que você poderá ser realmente amiga dele (só que, quando esse dia chegar, você talvez nem queira mais). É para isso que você conta com seus outros amigos e amigas e com a sua família. E coração partido é coração partido, mas devemos levar em conta com o apoio de amigas do mesmo sexo que já viveram situação parecida. Isso porque homens e mulheres sentem essas coisas de formas diferentes e dão apoio também de formas diferentes. E, já que seu melhor amigo foi tirado do time, parece um excelente momento para deixar suas amigas assumirem o jogo.

A MELHOR PIOR NOTÍCIA

A melhor pior notícia é que ele não quer que você telefone, e isso deveria facilitar na hora de controlar a sua compulsão de procurá-lo. Parar de repente assim é horrível, mas é o caminho mais rápido para a recuperação. Isso se aplica a qualquer vício que existe, desde o jogo até os chocolates e tudo que tem entre eles, inclusive a obsessão por telefonemas, e-mails e mensagens instantâneas com o seu ex.

Mas por que não posso ligar para ele?, você pergunta. Por que não posso procurá-lo e conversar com ele se isso faz com que me sinta um pouco melhor? Afinal de contas, ele ficou com aquele meu suéter, que eu jamais gostei, e devo telefonar para ele para pegar de volta. Essas são perguntas que vão passar pela sua cabeça, e a resposta é – vamos dizer novamente – porque ele não quer falar com você. Mesmo que você pense que ele quer, é mais provável que esteja enganada. Se ele quisesse mesmo conversar, saber como você está, tentar uma reconciliação, ele faria isso. Se ele teve a coragem de terminar, também tem capacidade para usar o telefone e discar o seu número, que já deve saber de cor. Todos os dedos fraturados do mundo não bastam para impedir alguém realmente determinado de telefonar, portanto qualquer desculpa que você possa imaginar não vai passar disso: uma desculpa. E sinceramente, mesmo que você não queira ouvir, o fato de ele não querer falar com você é uma coisa BOA! É exatamente o tipo de tapa na cara que devia tornar mais fácil a superação desse estágio do fim do relacionamento de vocês.

Mais importante ainda é que NÃO PROCURÁ-LO será um recado ainda mais poderoso. Isso é bem mais claro e diz o seguinte: "Apesar da dor dessa perda, você não tem notícias minhas porque estou ocupada demais cuidando de mim mesma e seguindo em frente com a minha fabulosa vida nova." Não é essa a imagem que você quer projetar e, mais ainda, a pessoa que você quer ser? Alguém que não se prende ao passado, que, em vez disso, segue em frente? (Mesmo que neste momento você fique deitada na cama o dia inteiro, de pijama, ouvindo músicas tristes.)

Nessas horas, lembre que o telefone é seu inimigo – especialmente se você andou bebendo. Deixe seu telefone celular em casa quando sair para beber e certifique-se de que seus companheiros de porre saibam que devem mantê-la longe do telefone o tempo todo. Não há nada pior do que estragar todo o seu esforço e o sucesso da autopreservação num impulso de bêbada de telefonar. Existe melhor maneira de mostrar para alguém que ele devia estar com você do que ligar para ele no seu pior momento? E preste atenção em como se sente depois de falar com ele. Depois responda se é isso mesmo que você quer.

O QUE EU FIZ DE ERRADO

GREG

Pelo fato de ter ido morar em outro estado com o Fulano, ela tornou bem mais fácil o meu esforço de não ceder a um comportamento desprezível e patético. Assim, por mais doloroso que tenha sido, pelo menos ela teve a consideração de fazer isso com outro CEP. O que queria dizer que eu não corria o risco de esbarrar nela nas festas, e de fazer uma cena típica da peça popular *Como pode fazer isso comigo, porra, estou morrendo por dentro*. Não havia endereço para eu passar pela frente de carro, nem local de trabalho para vigiar. Tudo que eu tinha de fazer era não telefonar para ela. Durante o dia, tudo bem. Mas assim que escurecia, minha nova supermelhor amiga tequila e eu nos encontrávamos num bar, ou numa festa, ou simplesmente vagando bêbados na minha cozinha, batendo papo, mas em pouco tempo recebíamos informações. O segredo da tequila é esse: ela lhe dá informações. Informações de coisas que você não sabia antes de beber. Informações que precisam chegar à pessoa que acabou de dilacerar seu coração. São informações que NÃO podem esperar até a manhã seguinte, por mais avançada que seja a hora da madrugada. A tequila também tem qualidades transformadoras. É capaz de transformar o telefone mais comum de todo dia numa gigantesca máquina de cometer erros que berra para você: "Use-me!" As ligações eram sempre as mesmas. Eu só estava ligando para "marcar o ponto". Às duas e meia da madrugada. Depois perguntava como ia a vida dela. "Boa, tudo bem. Nova York é meio fria, mas está tudo bem." E aí tudo ia para o espaço com alguma versão de "Por que você não me ama?" ou "Acha que um dia a gente pode voltar?". Ou então a velha pérola "O que eu tenho de errado?". Basicamente, perguntas que já tinham sido respondidas, que não podiam ser respondidas, ou que tinham as respostas embutidas, óbvias demais. Para ser justo com ela, o fato é que era extraordinariamente gentil comigo, enquanto eu divagava como uma canção ébria do Morrissey, que às vezes durava até duas horas. Eu não teria sido tão educado se estivesse na pele dela. Até quando escrevo isso aqui, agora, tenho vontade de bater o telefone na minha cara. Quero bater o telefone na sua cara. Quero desligar todos os telefones em todos os lugares. Fico com dor de estômago só de pensar como me rebaixei e como infernizei essa pessoa por não me amar. E morro de vergonha de pensar que, por melhor que me sinta nos meus melhores momentos, existe uma pessoa no mundo que pode dizer: "Bem, naquela época..."

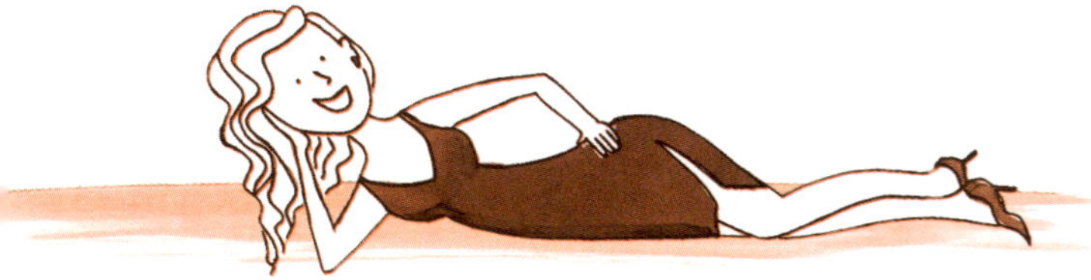

COMO SUPEREI ISSO

AMIIRA

Depois de um ano e meio casada, meu primeiro marido e eu nos separamos (idéia dele), mas continuamos na terapia de casais (idéia minha). Ficou mais ou menos claro que estávamos caminhando mais para o divórcio do que para a reconciliação, e eu fiquei arrasada. Então, nossa terapeuta sugeriu que devíamos experimentar ficar trinta dias sem qualquer tipo de contato para ver de que modo a realidade de não estar na vida um do outro nos afetava. Sem falar ao telefone nem pessoalmente. Está brincando comigo? Está pensando que sou feita de pedra? É como se me pedissem para escalar o Everest com sandálias caríssimas. Não estou de forma alguma condicionada para esse tipo de exercício. Você não tem de me convencer dessa idéia? Fazer com que me desvencilhe dele no curso de alguns meses? Parecia uma tarefa impossível. Apesar de separados, continuávamos nos falando todos os dias, às vezes íamos juntos de metrô para o trabalho e passávamos bastante tempo juntos. Jantares, shows de rock, já falei que pegávamos o metrô juntos? Ficou claro que eu tinha de lembrar à nossa terapeuta que ele era meu melhor amigo e que, mesmo não funcionando como casal, estávamos decididos a continuar amigos, por isso toda essa história de "sem contato" não se aplicava a nós dois. Informei isso para ela, e ela ficou olhando para mim sem entender, como se eu não tivesse conseguido expressar nada coerente, e sugeriu que começássemos os tais trinta dias na manhã seguinte.

Ela é doida?, pensei. Não posso ficar trinta dias sem falar com ele. Naquele dia, ele e eu conversamos pelo telefone até meia-noite e depois nos despedimos por um mês. À meia-noite e um minuto, senti vontade de ligar para ele e dizer que não ia agüentar, mas, em vez disso, liguei a TV e consegui dormir. Certamente sobrevivi àquela noite enquanto dormia. Na manhã seguinte foi mais difícil. Mas consegui viver o dia e, toda vez que tinha vontade de ligar para ele, ligava para a minha amiga Janet. Não sei dizer quantas vezes pensei em falar com ele naqueles trinta dias, porque nas primeiras duas semanas esse número estaria na casa dos milhares. E dá para imaginar o número de vezes que liguei para Janet naquelas duas semanas. Era como uma prova de resistência. Mas eu estava decidida a suportar os trinta dias. Percebi que, se aquilo era o início do fim, e que estava prestes a ter de passar o resto da minha vida sem falar com ele, então era melhor mesmo ir me acostumando.

Assim, nas primeiras duas semanas eu praticamente não pensava em outra coisa. Mas aí aconteceu uma coisa surpreendente. Descobri que tinha resistido DUAS SEMANAS INTEIRAS! Eram CATORZE DIAS INTEIRINHOS sem falar com ele, e de repente fiquei muito impressionada comigo mesma. Eu era sobre-humana. Passei mais tempo me parabenizando por ser tão decidida, do que pensando em ligar para ele. A recompensa pela minha força naquela fase de debilidade extrema e o orgulho que senti a cada dia que não cedia e não telefonava para ele me deram uma sensação de poder enorme. Era como se a minha força estivesse se auto-alimentando depois de ter conseguido superar o primeiro obstáculo. Foi difícil. Pensava em ligar todo segundo de todos os dias... até que parei. E quer saber? No vigésimo sétimo dia, ele ligou para mim. Não conseguiu chegar aos trinta. Disse que era uma das coisas mais difíceis que já tinha enfrentado. E era mesmo. Mas a sensação que tive de ser mais forte do que a minha fraqueza pesou muito mais do que o fato de ser difícil. Quando nos orgulhamos de nós mesmos, nos sentimos invencíveis, e era assim que eu me sentia. A uma distância enorme de onde eu estava no primeiro dos trinta dias. E, embora odiasse aquela terapeuta por ter me sentenciado a uma realidade tão cruel, eu nunca saberia como ia me sentir se continuasse escrava do telefone.

IDÉIA IMPRESSIONANTE

O telefone também pode ser usado para ligar para a sua mãe ou para qualquer outra pessoa que ama você... exceto para bebês ou cães. Eles não sabem atender o telefone.

PESSOA DEPRÊ

CADERNO DE EXERCÍCIOS DIÁRIOS E, ÀS VEZES, LIVRO DE RECEITAS

Baixe os seguintes toques de telefone em BroadwayBooks.com/greg-behrendtringtones e programe-os no seu celular como o toque personalizado do seu ex.

TOQUE 1: **É MESMO?: É mesmo? Você vai atender? É isso que vai fazer agora... retroceder? É mesmo? Vai jogar sua auto-estima pela janela?**

TOQUE 2: **SECRETÁRIA: deixe a secretária atender. Deixe a secretária atender. Você está ocupada demais cuidando da sua vida. Deixe a secretária atender.**

TOQUE 3: **DELETE: Fala sério, por que não deletou o número dele? Vamos lá, gatinha, trate de viver no futuro.**

CONFESSIONÁRIO PSICÓTICO

Ele atendeu por um tempo as minhas ligações, e eu chorava, gritava, implorava e mendigava, mas, depois de uns dois meses, parou de atender. Eu caía sempre na secretária eletrônica e ele nunca ligava de volta, provavelmente porque eu dizia montes de besteiras nas mensagens. Tentei enviar e-mails, mas acontecia a mesma coisa – ele não respondia, nem quando eu escrevi "Vou ter um filho seu" no "assunto". Eu o persegui no computador pelo programa de mensagens instantâneas até que ele trocou de identidade para não aparecer mais na minha lista de amigos online. E, por fim, quando pensei ter ficado sem idéias, lembrei que ele e eu tínhamos câmeras de celular e que podíamos mandar fotos um para o outro por e-mail, então enviei para ele uma foto minha nua que agora está rodando a internet. Da próxima vez, eu devia começar a pensar em não tentar contatá-lo.

Anônima
Eugene, Oregon

DEZ COISAS PARA FAZER EM VEZ DE TELEFONAR

1. Vá ao cinema assistir a um filme que ele NUNCA assistiria com você.
2. Telefone para uma velha amiga com quem andava pensando em pôr o papo em dia.
3. Vá olhar vitrines (não de lojas de celular).
4. Encontre uma amiga para tomar um café.
5. Leve seu cachorro para passear, OU vá ao canil e salve um animalzinho de estimação do corredor da morte, se não tiver um.
6. Ligue para a sua avó. Você sabe que faz tempo que não fala com ela e agora é o momento perfeito para começar a campanha para subir na lista do testamento dela.
7. Ponha um dos seus CDs preferidos para tocar e dance pela casa só de calcinha (idéia do Greg).
8. Arrume o seu armário e jogue fora tudo que não vai querer ser vista usando na próxima vez que topar com o seu ex.
9. Faça uma longa caminhada e curta apenas estar ao ar livre, ou assista a um programa sobre pescaria na TV, que é quase como estar ao ar livre.
10. Vá ao mercado e compre ingredientes para preparar seu prato preferido para o jantar.
11. Ei, poderosa, nós já demos dez idéias! Agora invente a sua própria lista.

DEZ COISAS PARA FAZER EM VEZ DE TELEFONAR

1. ____________________

2. ____________________

3. ____________________

4. ____________________

5. ____________________

6. ____________________

7. ____________________

8. ____________________

9. ____________________

10. ____________________

TOMADA INTERNA – LOJA DE CONVENIÊNCIAS DE UM POSTO DE GASOLINA, À NOITE

Bridgette, garota de 22 anos, de calça jeans com cintura baixa, top curto e havaianas, está na caixa registradora arrumando suas compras. Uma caixa de latas de cerveja, um litro de sorvete, um saco de Doritos, vários tipos de chocolates e balas, e revistas de fofocas sobre fim de namoro de celebridades.

CAIXA: *Preciso ver sua identidade.*
Bridgette tira o documento da carteira e o caixa verifica a data de nascimento.

BRIDGETTE: *Pode me dar também dois maços de Marlboro e uma caixa de fósforos?*
O caixa vira para trás, pega o cigarro e a caixa de fósforos e acrescenta à pilha dela. Registra os itens.

CAIXA: *Vai dar uma festinha, não é?*

BRIDGETTE: *Bem, não... isso é só para mim.*

CAIXA: *Ahhh... então, quanto tempo vocês namoraram?*

BRIDGETTE: *Seis meses.*

CAIXA: *Nesse caso, por que não compra potes de duzentos gramas de sorvete em vez de litros, Marlboro sem filtro, e depois vai deitar no estacionamento que eu atropelo você de marcha a ré com a minha van?*

BRIDGETTE: *O quê? Você é meu pai por acaso?*
Bridgette olha furiosa para o caixa, devolve tudo que tinha comprado e volta com um exemplar da *Boa forma* e um litro de água mineral.

BRIDGETTE: *Espertinho.*

Capítulo três

ELE NÃO ESTÁ ESCONDIDO no fundo dessas delícias

Quando você enfrenta o fim do relacionamento, sabemos que é natural tentar anestesiar a dor apelando para coisas que dão prazer. Martínis. Batatas fritas. Barras de chocolate. Por isso, escolhemos a imagem do milk-shake para a capa do livro – porque parecia ser um bom símbolo do consolo que todos procuramos quando tentamos sobreviver ao coração partido. Tudo bem, a bebida vem em segundo lugar, quase primeiro, mas achamos que uma foto de uma garrafa pela metade e um cinzeiro cheio de pontas de cigarro seria deprimente demais. É perfeitamente natural buscar algum tipo de alívio temporário e distração para a dor que você está sentindo agora. Essa anestesia é uma estratégia de resistência, sim, mas não é eficiente. Os sentimentos que acompanham um fim de namoro traumático podem facilmente levar a uma avalanche de maus comportamentos. Vícios inofensivos que você costumava satisfazer de vez em quando, cigarro, doces, gastar o salário de um mês inteiro num par de sapatos, de repente se transformam num modo de vida. Só que mergulhar de cabeça nessa espiral decadente não vai prejudicar seu ex em nada, só fará mal a você mesma, e por que ia querer isso?

Afogar suas mágoas no consolo dos excessos não vai trazê-lo de volta, só vai torná-la mais gorda, mais bêbada e mais triste. Não que haja qualquer coisa de errado em ser gorda, biriteira e triste – afinal, veja como isso afetou Ernest Hemingway. O fim de um relacionamento representa uma fantástica oportunidade de adoção de comportamentos autodestrutivos, que muitas vezes parecem justificados, mas que, no fim das contas, acabam nos prejudicando demais. Não importa se você acorda na cama de outro, no chão, ou encolhida dentro de uma embalagem de pizza gigante vazia, esse comportamento só afasta você momentaneamente da sua agonia. Quando acordar, estará de novo onde estava na noite anterior – de coração partido, só que, além disso, amargando uma ressaca horrorosa de excesso ou arrependimento, e fora do caminho para a recuperação. Não somos contra uma boa transa sem compromisso, uma farra pela cidade, ou meio litro de sorvete, mas entenda que isso é como pôr um band-aid num osso fraturado. Não vai resolver nada.

Ah é?, você pergunta. "Então o que eu devo fazer, ficar em casa lendo? Quem sabe faço minha declaração de renda mais cedo ou assisto a um vídeo de ginástica." Não vamos nos empolgar demais. Nós nunca lhe pediríamos que fizesse algo tão tenebroso como acompanhar um vídeo de ginástica (a menos que conheça um realmente bom). Estamos simplesmente sugerindo que você examine a idéia de fazer escolhas mais saudáveis. A diversão e o prazer nem sempre têm de ser à custa da medida da sua cintura ou dos seus neurônios. Você deve se sentir bem quanto às escolhas que está fazendo a partir de agora – não amanhã de manhã, quando estiver de ressaca e quiser tomar decisões ou tentar fazer um acordo com Deus para ele acabar apenas com a sua dor de cabeça.

Olha, nós aplaudimos a sua iniciativa de sair de casa. Realmente, sair de casa é um dos melhores passos a ser dado. Saia com suas amigas. Assuma a direção e comece a rodar com a sua vida. Mas procure fazer isso com inteligência. Querer ceder a algum impulso nos momentos difíceis é natural, e damos força para isso. No entanto, o comportamento autodestrutivo disfarçado de prazer ou consolo é o que queremos tirar do seu caminho. Olha, não somos santos. Tomamos decisões erradas ao longo das tortuosas estradas do fim dos relacionamentos (por isso mesmo temos certa competência para escrever este livro), mas aprendemos que o lapso momentâneo da dor que acontece quando você anestesia seus sentidos com pilhas de revistas ou os sobrecarrega com beijos daquele desconhecido nem tão charmoso no bar é exatamente isso... MOMENTÂNEO. É passageiro e só serve para prendê-la ao sofrimento por mais tempo. Toda manhã seguinte, a pontada do fim do namoro volta a mil e arrasta você de novo para o fundo do poço do desespero. Só que agora, além da sua dor, você provavelmente sentirá remorso. Remorso por todos aqueles carboidratos e calorias de gordura que consumiu, remorso por ter ido para a cama com o namorado da sua melhor amiga, remorso pelos maços de cigarro e vodkas que transformaram subir uma escada numa missão impossível.

Beber, comer, fazer compras, vingança, "ir à luta", sexo, drogas, ou qualquer que seja o seu veneno, talvez anestesie a dor, mas só isso. Por natureza, as pessoas têm muito medo de sentir dor, de sofrer. Mas muitas vezes a idéia da dor é pior do que a própria dor. Nunca é tão ruim como você pensava que ia ser. E não dá para superar o coração partido enquanto permitir em você esse sofrimento. Desculpe cara, mas essa é a realidade. É como todos os rituais de luto. Se você enterrar o sofrimento bem lá no fundo, ele ficará com você indefinidamente, mas se você se abrir para ele, vivenciá-lo e enfrentá-lo, vai descobrir que, depois de um tempo, acaba passando. Largar esse meio litro de sorvete pode não parecer a coisa certa agora, mas se modificar o seu comportamento primeiro, o que sente vai atrás. Um médico muito inteligente nos disse isso uma vez. O comportamento às vezes tem de vir antes dos sentimentos, por isso em vez de fazer algo falsamente gratificante que vai se transformar em arrependimento depois, por que não experimenta fazer uma coisa que você vai detestar agora (como hidratar profundamente seu cabelo e ir para a cama cedo) e se orgulhar disso mais tarde?

MAS GREG, QUERO FAZER UMAS PERGUNTAS

O QUE HÁ DE ERRADO EM ALGUNS DRINQUES?

Querido Greg,

Meus amigos têm sido maravilhosos comigo depois que meu relacionamento acabou. Eles me chamam para happy hours ou me levam para jantar fora algumas vezes durante a semana para eu não desanimar. É claro que muito dessa animação envolve muitas doses de bebida e atacar meu ex-namorado, chamando-o de fracassado por ter terminado a melhor coisa que já aconteceu com ele. O fato de ter amigos com quem tomar um porre, que sabem me consolar quando estou triste e vulnerável, torna o fim do namoro muito mais suportável. Você não acha que isso é parte da cura?

Patsy

Querida Happy Hour,

Fritar seu namorado em óleo fervente é ótimo. Há melhor maneira de se livrar de alguém do que falar dele o tempo todo? Não me entenda mal – pode ser saudável reconhecer a sua raiva e extravasá-la com seus amigos que também podem compartilhar alguns desses sentimentos com você. Cada pessoa se cura de um jeito diferente. Mas o que eu sei é que sempre que me afoguei em drinques, tristeza e vulnerabilidade nunca me senti melhor, só mais triste, mais digno de pena e um pouco inchado. O negócio é superar isso, não ficar se arrastando por aí, a menos, é claro, que seja isso que você queira. Por isso, apesar de ser bom desprezá-lo momentaneamente, responda uma coisa: você está realmente se curando andando por aí com tanta raiva no coração?

MAS QUAL É O PROBLEMA DE "IR À LUTA"?

Querido Greg,

A única maneira de esquecer um homem bom é arrumar outro – por isso existe esse termo "ir à luta" no vocabulário do namoro. Passei meses agonizando por causa do meu ex. Ligava para ele sem parar, aparecia na casa dele, tudo que não se deve fazer. Estava triste e sofrendo o tempo todo. Então, minhas amigas me disseram que eu precisava conhecer outro homem. Resolvi que o companheiro de quarto dele era esse outro homem. Você devia ter visto a cara do meu ex-namorado a primeira vez que me viu sair sorrateira do quarto do seu melhor amigo, só com a camisa do pijama dele. O queixo do meu ex bateu no chão, e percebi que ficou louco. Eu me senti muito melhor. O que você acha disso?

Lexi

Querida Senhora Louca,

Uau! Tem muita coisa saudável acontecendo nesse cenário que você descreveu. Acho que o seu homem devia ficar muito orgulhoso. Por que você não dorme com o patrocinador do time de futebol dele? Isso será uma lição e tanto! Para começo de conversa, ir para a cama com outro para deixar o cara com raiva é pura maldade. Por que está arrastando um inocente para o seu relacionamento fracassado? Não é justo nem saudável. Em segundo lugar, aposto que você só se sentiu bem na hora, e que isso não serviu para afastá-la do sofrimento que sentia, e, além do mais, ainda piorou as coisas para todos os envolvidos. Em terceiro lugar, se acha que o seu ex pensa outra coisa senão que você é uma você-sabe-o-quê, metida a besta... então está viajando na maionese. A melhor coisa a fazer é sair do mundo do seu ex e encontrar alguém de verdade para amar. Qualquer relacionamento inventado exclusivamente para provocar uma reação em outra pessoa, além de falso é motivo de descrédito para quem participa disso. Quando você realmente sai dessa, não se importa com o que seu ex pensa. E, só para ficar registrado, a melhor vingança não é atazanar a vida dele, e sim seguir em frente com a sua e vivê-la ao máximo.

COMER É A ÚNICA COISA QUE FAZ COM QUE EU ME SINTA MELHOR.

Querido Greg,

Meu noivo terminou comigo e agora não consigo parar de comer. É a única coisa que faz com que eu me sinta melhor. Ele já está namorando outra e faz só um mês que pediu a aliança de volta. Nunca sofri tanto em toda a minha vida. Ainda temos de nos ver porque tínhamos comprado uma casa juntos, e ele aparece com a nova namorada toda vez que nos encontramos. Dói demais e é tão humilhante que acabo sentada no meu carro uma hora inteira, chorando

e comendo um saco de batata frita. E me sinto patética, além de estar com o coração partido. Socorro!

Jenna

Querida Coração Faminto,

Largue a batata frita e seque as lágrimas (e limpe os dedos também). Entendi tudo. Eu adoro batata frita, especialmente as bem salgadas e com vinagre! Sei que o prazer momentâneo e instantâneo que essas batatas propiciam pode fazer você esquecer a dor que está sentindo – pelo menos por um breve tempo – mas o efeito a longo prazo na sua auto-estima não vale a pena. Encare os fatos, não há nada pior do que se sentir por baixo com um relacionamento fracassado, e além disso não poder fechar o zíper das calças. Eu sei que quando ando pela cidade com minha calça amarrada com uma corda, não me sinto nada bem. Comer para compensar o fim do namoro não vai fazer você se sentir melhor, só mais gorda e mais triste, como já observou. Os encontros com o seu ex e a nova namorada dele estão servindo de gatilho para todas as crenças negativas que tem sobre você mesma. São essas inseguranças, amplificadas pela dor de ter de encarar a mulher que ele escolheu, preterindo você, que a levam a essa queda livre, e precisa controlar isso. Então, comece tratando de NÃO vê-los. Mande uma amiga, um advogado, um corretor de imóveis ou um capanga contratado no seu lugar para resolver seus negócios, e nunca mais se meta nessa situação. Da próxima vez, pegue um talo de aipo e saia para caminhar. Não é saboroso, mas você vai cuidar bem de você.

NÃO É À TOA QUE SÃO CHAMADOS DE ANALGÉSICOS.

Querido Greg,

Tinha um monte de Vicodin guardado da época em que extraíram meu siso.

Depois de uma noite especialmente sinistra em que tive uma conversa lacrimosa e constrangedora com meu ex, tomei um comprimido para me sentir melhor. E pode acreditar, eu realmente melhorei. Tanto que acabei com o vidro e com os estoques das minhas amigas também. Sei que não devia estar tomando isso, mas é a única coisa que me deixa melhor, ou pelo menos faz com que eu não me importe. Você acha que isso é um problema?

Courtney

Querida Viconão,

PARE AGORA MESMO! Sim, acho que isso é um problema, ou você está caminhando rapidamente para arranjar um. É assim que imagina que vai passar o resto dos seus dias? Confie em mim, que sou um usuário de medicamentos em recuperação: que você não está melhorando, está simplesmente atrasando o processo de encarar o sofrimento e resolvê-lo, e criando um vício. O fato de saber que não devia estar tomando essas coisas e, mesmo assim, insistir em tomar já devia ser uma luz vermelha enorme piscando. Lembre que se automedicar com esse tipo de droga é uma solução temporária e destrutiva, que só leva a mais sofrimento. Procure ajuda profissional ou vá a uma reunião de Narcóticos Anônimos, o mais depressa possível. É fácil encontrar um grupo, é só procurar nas listas telefônicas. Nenhum fim de namoro vale alguém se matar desse jeito, e isso é exatamente o que você está quase fazendo. Por favor, acredite em alguém que sabe do que está falando.

QUANTAS TRANSAS SÃO ALÉM DA CONTA?

Querido Greg,

Desde que meu namorado e eu terminamos, eu só não penso nele quando estou na cama com outro cara. Depois que nosso namoro acabou, minhas

amigas me incentivaram a "montar no cavalo de novo", e me levaram para bares para conhecer outros caras. Agora, dizem que estão preocupadas comigo porque são muitos caras telefonando e aparecendo lá em casa nas horas mais loucas. Pensei que eles estavam sendo só superprotetores, mas depois entendi que realmente não me lembro de alguns deles porque estava bêbada demais. Eu só estava tentando apagar a lembrança do meu ex, e agora estou começando a achar que estou surtando. Essa era a única coisa que fazia com que me sentisse bem, mas agora estou me sentindo mais sozinha e mais deprimida. O que faço?

Leanne

Querida Vaqueira,

Montar no cavalo namorando de novo e fazer sexo com o curral inteiro são duas coisas bem diferentes. Tenho certeza que as suas amigas não pretendiam que você partisse para esse comportamento autodestrutivo. Uma coisa é ir a um bar e paquerar, talvez até transar com alguém novo, só para saber que você continua desejável, mas não pode ir para a cama com os outros sem parar. Claro que conhecer gente nova é uma ótima idéia, mas procure apenas sair! Como jantar e um cinema, com muita conversa. Você está passando por um período difícil e vai ter de superar isso. Então comece livrando-se dos caras a granel, diga que não está interessada, troque o número do seu telefone, se precisar, e depois esforce-se para se centrar em seus verdadeiros sentimentos. Vai passar com o tempo. E lembre que fazer sexo é bom, mas usar o sexo para afastar o sofrimento não é nada saudável, e você não é assim, vaqueira.

OBSERVAÇÃO RÁPIDA SOBRE "IR À LUTA"

AMIIRA

Quando você está deprimida e sozinha, nada como um pouco de atenção por parte do sexo oposto para tirá-la na mesma hora da fossa. Uns carinhos, uns amassos, até uma boa transa. Às vezes um pouco de afeto é exatamente o que o médico receitou e certamente uma das primeiras coisas que quem está de coração partido vai procurar. O problema de ir à luta é que pode ser uma faca de dois gumes. Pode provocar uma sensação ótima, ou pode provocar uma sensação terrível. Você pode encontrar alguém realmente interessante e ter um caso muito gratificante que acaba com sua dor-de-cotovelo e a põe de volta no mundo. Mas nem sempre é isso que acontece.

Quando você está vulnerável e à procura de aceitação por parte de um desconhecido, são muitas as oportunidades das coisas darem errado. Você pode sair à noite determinada a encontrar alguém para ficar, e acabar se sentindo ainda mais patética se ninguém der bola para você. Ou então pode acabar indo para a casa de alguém em quem jamais prestaria atenção, e se arrepender no dia seguinte enquanto, envergonhada, procura suas roupas. Você pode ter uma transa de uma noite só e pensar que está tranqüila com isso, mas depois, quando o cara não telefona como prometeu, sentir aquela completa rejeição novamente. Você pode terminar sobrepondo mais sofrimento ao sofrimento.

Navegar essas águas do "ir à luta" pode ser traiçoeiro, e tive a sorte de passar por isso com relativamente poucos arrependimentos. Costumava apelar para antigos namorados em vez de novos conhecidos, porque há sempre um certo nível de segurança que sentimos com um ex (apesar de saber que reabrir essas portas pode ser complicado também). Mas, como ir à luta pode ser uma estratégia bem arriscada para enfrentar a dor do fim de um relacionamento, com potencial para provocar danos ainda maiores para a nossa auto-estima romântica, acho que você deve procurar estabelecer algumas regras e padrões básicos. Os meus são bem simples, ainda que bem definidos:

1. **Não vá à luta com qualquer um que comprometa o seu emprego ou que torne a ida ao trabalho um constrangimento.**
2. **Procure escolher alguém por quem se sentiria atraída em circunstâncias normais.**
3. **Quanto mais gatinho, melhor!**
4. **Não precisa jogar uma partida inteira se um único gol satisfaz seu ego.**
5. **Se você estiver bêbada demais para dirigir, estará bêbada demais para tomar decisões certas. Aborte a missão imediatamente.**
6. **Fique longe dos amigos do seu ex-namorado. Fique longe dos seus amigos e dos ex-namorados das suas melhores amigas.**
7. **Compre um vibrador. Ele nunca aparece quando você não quer.**
8. **Não importa o quanto você é liberada ou na sua – sexo continua sendo uma coisa íntima, mesmo quando inclui algemas.**
9. **A pessoa com quem você faz sexo também é uma pessoa.**
10. **Antes de procurar a aceitação dos outros, procure descobrir em você mesma.**

A **MELHOR** PIOR NOTÍCIA

A melhor pior notícia é que você *sabe* quando está cedendo ao comportamento autodestrutivo de se anestesiar do coração partido que a faz sofrer. Assim como também *sabe* quando está prestes a

fazer alguma coisa errada, é uma consciência que já está embutida em todos nós, seres humanos (diferente das moscas, que comem sorvete até explodir). Há um momento concreto em que você resolve conscientemente se vai ou não mergulhar de cabeça e ceder ao impulso. Saber que esse momento existe significa que você tem escolha, você pode controlar – e esperamos que num desses momentos passe a exercer esse controle e faça a melhor escolha quando estiver olhando para a sua quinta dose, ou antes de deitar na cama daquele desconhecido.

O fim do relacionamento muitas vezes pode parecer uma crise. E o tipo de personalidade da pessoa pode ser identificada pelo modo que ela reage a uma crise. Você pode desmoronar de vez, ou enfrentar o desafio de sair do turbilhão dessa merda. Nós dois já vivenciamos as duas opções, por isso precisamos dizer que se imolar em chamas, bebida, comida, sexo sem compromisso e substâncias que alteram o funcionamento dos nossos neurônios, tudo isso não é nada bom, enquanto ser o herói da produção "Meu coração está estraçalhado" é uma mudança de vida, é a afirmação da vida e é maravilhoso! Você tem uma opção. É você que dirige. Essa é a boa notícia. Você realmente tem a oportunidade de provar que é uma pessoa que consegue encarar um desastre emocional. Ei, o simples fato de não ter surtado de vez, além de impressionar seus amigos, também será uma conquista de auto-respeito, de que você tanto precisa. Por isso, vire seu leme para a rota da recuperação. Não para Tristópolis, lar da Palhaça Biriteira, isto é, VOCÊ.

É esquisito pensar nisso, mas procure imaginar que o fim do seu namoro é uma doença. Se dissessem que você estava com uma doença séria, mas curável, você ia tomar porres diários? Comer dois pacotes de biscoitos de chocolate? Fumar feito uma chami-

né, se entupir de comprimidos, ficar chapada ou transar com todo mundo? NÃO IA NÃO. Você ia cuidar muito bem de você e cortar tudo que não fosse saudável na sua vida. Porque você se ama e, mesmo que isso não seja verdade neste exato momento, NÓS TE AMAMOS! Por isso largue o/a _________________ (escreva seu vício na lacuna), e comece a se mexer.

O QUE EU FIZ DE ERRADO

GREG

12 de agosto de 1996, 11:32. "Estou gordo." Não consigo encolher a barriga. De onde minha cabeça suarenta se apóia no travesseiro posso ver que minha barriga se destaca depois do meu peito, encostada no meu colchão tipo *futon* de solteiro. (Já estou prevendo que hoje vai ser um ótimo dia.) Meu cérebro nada numa dor de cabeça líquida, e sinto o bafo da noite passada no meu hálito. Rolo de lado para saudar minha companheira de cama. "Oi, desconhecida." Mas não é uma desconhecida. Para dizer a verdade, nem é uma pessoa. É um cone de trânsito e uma placa de rua com quem devo ter feito amizade na volta para casa ontem à noite. Será que fiz sexo com um cone de trânsito? Por mais que você tente, um cone de trânsito não pode substituir sua ex. Quando foi que me tornei esse cara? Quem é esse cara?

Não sei por que a voz dentro da nossa cabeça que quer vencer e tomar as decisões certas, e às vezes difíceis, está tão calada, e a outra que quer a autodestruição fala tão alto e é tão persuasiva. Mas nessa manhã específica, a voz calada exigiu ser ouvida: "Ei, otário! Por que está fazendo isso comigo? O que foi que eu fiz para você me odiar tanto? Por que quer sofrer desse jeito?", "Não quero", retruquei. "Não sou eu, é ela. Estou assim por culpa dela." Mas a voz não engole isso. "Mentira. Não é ela que está entornando bebida na sua goela, é você que está fazendo isso! Não é ela que está na cama com um cone de trânsito. Isso tudo é só você, cara, você é o roteirista desse drama." A voz está certa. Não era aquilo que eu devia ser. O mundo continua sem mim. Ela prossegue sem mim.

No dia 12 de agosto de 1996, 00:30, eu participei da minha primeira reunião nos Alcoólicos Anônimos, e desde aquele dia tenho ficado, um dia de cada vez, limpo de drogas e álcool. Foi o primeiro passo na longa estrada da volta a mim mesmo. Dessa vez, a voz baixa venceu.

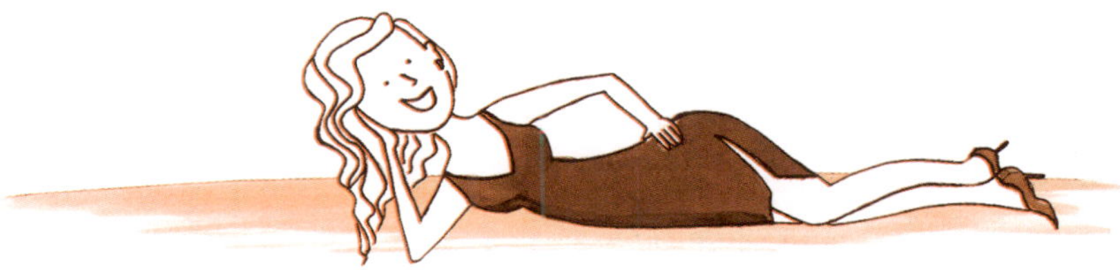

COMO SUPEREI ISSO

AMIIRA

Fiquei anos presa a um padrão de comportamento nem um pouco saudável para um relacionamento. Funcionava assim: está tudo uma maravilha, nós dois apaixonados, inseparáveis, fico feliz o tempo todo, nos divertimos muito, sexo é bom mas não muito freqüente (coisa que temos de trabalhar ainda). ENTÃO... ele começa a ficar estranho, distante, provoca brigas até revelar que acha que não quer mais ficar comigo. Deixa cair aquela bomba "Acho que a gente devia dar um tempo", e paramos de fazer sexo, eu fico triste e me sinto rejeitada o tempo todo, ele sai de casa e faz sexo com *strippers*. Choro à beça e me sinto ainda pior comigo mesma porque ele prefere fazer sexo com as *strippers* do que comigo, e parece que estamos caminhando para uma separação concreta, em vez de só um tempo... ENTÃO... ele volta para mim e quer reatar, jura amor eterno e promete que fará tudo que for preciso para compensar aquele meu sofrimento. As coisas começam com muita vontade, ele faz terapia... ENTÃO... depois de meses juntos de novo, tudo começa a deteriorar outra vez. Ele não quer mais fazer sexo comigo e pára de se esforçar para resolver nossos problemas e consertar as coisas entre nós. Cobro isso dele, e ele admite que perdeu o interesse pela idéia de batalhar por nós, porque é muito difícil. Ele diz que acha que devemos dar um tempo. E recomeça aquele ciclo vicioso. Lavar, enxaguar e repetir.

Foi isso que suportei durante anos. Eu digo "suportei" em vez de "me submeti a" porque, se eu fosse uma mulher mais forte na época, teria reconhecido a situação pelo que realmente era e simplesmente saído dela com a minha dignidade intacta. Mas eu estava apaixonada por ele, ou talvez apenas apaixonada pela idéia de como tínhamos sido, e isso me mantinha prisioneira de um purgatório que arrasa toda a auto-estima. O fato é que ninguém me obrigava a continuar lá senão eu mesma, mas, na época, parecia que eu era a vítima dos problemas dele e da sua natureza fracassada em geral. Agora, para ser justa comigo mesma, eu estava casada com essa pessoa. Eu tinha me comprometido e feito um voto que eu levava a sério, e planejava passar a vida inteira com ele, por isso suportava coisas que jamais imaginaria aceitar, porque estava investindo no nosso futuro. Casamentos têm altos e baixos, mas o meu tinha mais baixos que altos, e, embora os altos fossem muito gostosos, ainda assim eram mesclados com problemas íntimos que me deixavam mal comigo mesma. Além disso, ele fazia sexo com outras mulheres quando estávamos dando um tempo (e eu sempre quis me convencer de que isso não era traição). Mesmo assim, ainda era uma merda. Era sempre eu que ficava de coração partido, e, mesmo assim, não conseguia me imaginar com outro homem.

Depois de anos assim, EU FINALMENTE compreendi que aquilo nunca ia melhorar e que eu estava desperdiçando os melhores anos da minha vida num relacionamento que não dava certo. Sabia que precisava partir para outra, mas também sabia que ficava impotente diante daquele homem e que meu desejo de que o relacionamento funcionasse era debilitante. Tudo isso eu conseguia ver com clareza naquele momento. Por isso, quando caminhamos para mais uma separação/tempo, tomei a decisão consciente de que, dessa vez, eu ia tratar de me comportar de modo completamente diferente do que tinha feito antes. Em vez de passar o tempo todo sentindo pena de mim mesma e afogando minhas mágoas com vinho, eu me lancei, diariamente, num *step* na academia de ginástica, e galgava furiosamente até chegar ao meu recorde de fim de relacionamento favorito (*Tudo será diferente a partir de agora.* Até terça). Fui ao cabeleireiro e pedi para ele cortar meu cabelo curtinho (era comprido) e clarear. Estava decidida a passar por uma transformação, e queria me lembrar disso toda vez que olhasse no espelho. Eu era minha própria declaração de que AGORA ESTOU DIFERENTE.

Também saí para o mundo, em vez de sufocar minha vida social, e acabei conhecendo um cara. Ele era um pouco mais jovem do que eu, mas, desde a nossa primeira conversa, ficou claro que nos entendíamos, além da química imediata. Nós nos tornamos bons amigos e curtimos muito. Eu trabalhava duro no meu emprego, vivia ocupada, passava muito tempo com minhas amigas e ganhava segurança cada vez que avistava meu reflexo de cabelo curto e lembrava que AGORA ESTOU DIFERENTE. Dessa vez, quando meu marido deixou claro que não dava mais (de novo), fiquei profundamente triste, mas grata pela sinceridade dele, e tomei a decisão de finalmente seguir com a minha vida. E quando me encontrei novamente com meu novo paquera, disse a ele que meu casamento tinha acabado, e ele me convidou para sair. Normalmente teria dito alguma coisa assim: "É cedo demais e não estou pronta nem para pensar na idéia de sair com alguém", mas em vez disso eu me mantive fiel à regra de adotar a atitude inversa e disse: "SIM!" Nós saímos e foi ótimo. Então saímos outra vez, e foi ainda melhor. E começamos a nos ver com freqüência, e depois de um tempo fui para a cama com ele! Algo que jamais teria feito, nem pensado, poucos meses antes. E sabe de uma coisa? Foi a coisa mais libertária que fiz por mim mesma. Não estava fazendo sexo por despeito do meu distante marido. Fiz sexo porque queria e porque SABIA que se fizesse isso jamais voltaria para aquele relacionamento doentio que me atraía de volta anos e anos seguidos. Estava cruzando uma fronteira e não podia voltar atrás. Mas tinha feito tudo conscientemente, no meu tempo. Meu ato foi na direção oposta porque agora eu era diferente e aquilo me libertou.

*** Observação de Greg: "Como é que é? Como assim? Você fez sexo com quem?"*

IDÉIA IMPRESSIONANTE

Estar sozinha também significa estar disponível para encontrar alguém sensacional.

PESSOA DEPRÊ

CADERNO DE EXERCÍCIOS DIÁRIOS E, ÀS VEZES, LIVRO DE RECEITAS

Permissividade em excesso, como a grande arte, está no olho de quem vê. Em outras palavras, como você pode saber se está realmente abusando do que é seguro ou do que não é? Faça nosso pequeno teste abaixo para descobrir. Some cinco pontos para você cada vez que achar que a afirmação é verdadeira.

1. Quando alguém grita "Ei, cachaceira!", você automaticamente se vira.
2. O cara de quem você compra maconha considera você da família.
3. Você está transando com o Ben e com o Jerry ao mesmo tempo.
4. O shopping tem uma ala batizada com o seu nome.
5. A Jack Daniel's ofereceu patrocínio para você.
6. Você se pega dizendo coisas assim: "Não sei, mas acho os palhaços meio sexies."
7. O cara de quem você compra maconha quer casar com você.
8. A Domino's tem seu número no redial do telefone deles.
9. Você começou a fumar para matar o tempo entre comer e beber.
10. O cara de quem você compra maconha acha que vocês deviam juntar os trapinhos.

Se você marcou pelo menos 5 pontos, está com problemas, gatinha. Isso foi só uma brincadeira, é claro, mas, falando sério, cuide-se. Ninguém vale a autodestruição. Ninguém.

CONFESSIONÁRIO PSICÓTICO

Nunca fui de beber muito, mas, quando meu namorado do colegial me deu o fora sem motivo nenhum, fiquei bem íntima do martíni com maçã. Primeiro, a bebida apenas amortecia as coisas, mas acabei descobrindo (principalmente a partir do relato de amigos) que, quanto mais bêbada eu estava, mais imprudente e ousada ficava. Pensei que todos estavam sendo só dramáticos demais, até a festa do Dia das Bruxas. Tinha me fantasiado de odalisca e estava bem atraente, se é que posso dizer assim. Depois de alguns martínis, achei que meu ex devia ter uma idéia do que estava perdendo, por isso marchei para a casa dele naquele frio horroroso. Ele não devia estar em casa, então entrei na casa dele com a chave que ainda estava comigo e resolvi esperar por ele, na cama dele. Daí, pelo que pude entender, o que aconteceu foi o seguinte: devo ter ouvido algum barulho quando ele chegou em casa, entrei em pânico quando ele subia a escada, subi no telhado da casa esquecendo que era inverno e que o telhado podia estar congelado. Bem, devo ter escorregado, porque acordei na manhã seguinte no meio dos arbustos, perto da porta da frente. Tive uma sorte imensa de não ter quebrado o pescoço. O colega de quarto dele me encontrou quando saiu para trabalhar e gentilmente me deu uma carona até em casa. Hoje em dia ando bebendo suco de maçã.

Anônima

Sault Ste. Marie, MI

TOMADA EXTERNA — CAFÉ — DIA

Duas mulheres de vinte e poucos anos, Portia e Dorrie, tomando café.

DORRIE: *Acho que não vou poder mais te ver.*

PORTIA: *Exatamente! Foi só que ele disse: "Nunca mais quero ver você."*

DORRIE: *Não, eu acho que não posso mais ver você.*

PORTIA: *(aborrecida) Ahn... Eu estava lá, Dorrie, e ele disse: "Nunca mais quero ver você."*

DORRIE: *Sei como ele se sente.*

PORTIA: *Sabe? Porque eu andei massacrando os meus neurônios para descobrir.*

Dorrie se levanta e rola os olhos nas órbitas.

DORRIE: *Você é um porre. Só fala disso. Como é que espera que alguém agüente você?*

PORTIA: *Foi isso que ele disse para você? Ele disse que eu era um porre?*

Dorrie se vira para ir embora.

DORRIE: *Estou indo.*

PORTIA: *Ele disse isso também. Muito esquisito. Só que ele disse "Estou indo para sempre". E eu: "Você vai voltar." Ei! Aonde você vai?*

Capítulo Quatro

SE VOCÊ TOCAR NO NOME DELE MAIS UMA VEZ...

Suas amigas também vão terminar com você

Você pode não ter mais ele, mas tem algo muito mais valioso neste momento – seus amigos. "Que ótimo. E a minha saúde, certo? Nossa, como tenho sorte." Sabemos que parece piegas, mas ter bons amigos e amigas a quem recorrer pode ajudar você a superar essa dor que está sentindo muito mais depressa do que imaginava. O carinho e o companheirismo deles podem ser o farol nas suas horas de escuridão – mas acredite quando dizemos que esses faróis podem se apagar. Você deve cuidar das suas amizades nessas horas, do mesmo modo que elas cuidam de você. Quando você está do outro lado, não há coisa pior do que agüentar a interminável conversa da amiga que ficou sem namorado e está obcecada com isso, que não escuta o que você diz, nem aceita seus conselhos. Olha o que você precisa lembrar sobre suas amigas: elas querem ver você feliz. Querem que tenha um relacionamento bom, apaixonado e saudável, que sirva de inspiração para ser o melhor que pode ser, não aquela pessoa difícil e aborrecida. Além disso, suas amigas conseguem enxergar o seu ex e o relacionamento de vocês pelo que são, realmente – com imperfeições e tudo –, e elas provavelmente não vão engolir a versão revisada do amor perfeito que você lamenta ter perdido.

Daqui a seis meses, quando estiver num estágio emocional completamente diferente (se já não estiver com algum companheiro melhor), vai querer olhar para trás, para essa fase de agora, e sentir-se bem pensando em como se comportou com as pessoas à sua volta. E não ter visões de Lily Taylor cantando "Joe Lies" e sair enchendo o saco de todo mundo na festa, enquanto suas amigas trocam olhares constrangidos. (Se você não assistiu ao filme de Cameron Crowe *Digam o que quiserem*, não ande, corra até a locadora mais próxima. Mas não espere que seu ex apareça no seu jardim com um CD player superpotente no ombro, porque é só um filme.)

Nós sabemos... suas amigas devem mesmo estar sempre ao seu lado, mas, pelo amor de Deus, dê-lhes um tempo e pare de falar sobre seu ex por apenas um minuto! Todos nós temos essas fitas que passam na nossa cabeça... como chamam mesmo? Ah, é, pensamentos. Mas alguns são só para você. Não precisa anunciar absolutamente todos eles. Na verdade, pare de dar ouvidos a si mesma! Se prestar atenção nos seus pensamentos negativos, só vai confirmar a validade deles. Esses pensamentos são como crianças encapetadas... se der atenção ao mau comportamento, isso só vai estimular um piti ainda maior. Dizemos isso com o maior amor e simpatia, mas dê um passo para trás e procure entender por que precisa fazer um esforço consciente para não submeter suas amigas a perguntas intermináveis, lágrimas intermináveis e análises intermináveis nessa fase da sua vida. Uma coisa é levar o fora de um cara, outra é levar um fora das suas amigas, porque elas nem vão fazer sexo de fim de relacionamento com você.

Você é maravilhosa e todas as suas amigas sabem disso. Elas estão a postos, sempre prontas e dispostas a ajudá-la a se livrar daquele fracassado que não era o homem certo para você. Só que neste momento você está presa no Redemoinho da Melancolia do fim do seu namoro. É uma armadilha super-hiperpoderosa que imobiliza e cega você para todos os momentos ruins, doentios, péssimos que eram tão evidentes no seu relacionamento, e que só repassa os intervalos dos melhores momentos, obliterando, assim, sua percepção do motivo de não ter dado certo. É como *Laranja mecânica*. Você está figurativamente presa naquela cadeira com os olhos mantidos arregalados com aquelas pinças esquisitas, enquanto os filmes com vocês dois em seus momentos mais felizes passam pelo seu cérebro com fundo de música clássica ou do Coldplay. Suas amigas, por outro lado, estão dizendo: "Ei madame inteligente, sexy e antenada, por que não tira o bumbum dessa cadeira e vem sentar conosco?" E a verdade é que se você não começar de fato a dar ouvidos a elas e seguir seus conselhos, suas amigas vão acabar se cansando de você. Abra a cabeça para o que elas têm a dizer e, faça o que fizer, trate de NÃO culpá-las por apontar os defeitos nada admiráveis do seu ex, ou por tentar fazer você botar os pés no chão e enxergar seu relacionamento nada perfeito. É para isso que elas estão aí, para ajudá-la a levantar dessa cadeira e começar a se mexer. Em troca, você tem de estabelecer um limite de tempo para ficar vivendo no passado. Procure determinar esse limite em dois meses. (Quando chegar à Parte Dois deste livro, nós diremos como você pode e vai conseguir isso.) Se depois de oito semanas ainda sentir necessidade de falar disso constantemente, busque ajuda profissional e deixe de alugar suas amigas. Ou converse com o seu cachorro. Tudo que o cão ouve é "blablablá...", que é exatamente como você está começando a soar para as suas amigas, pode acreditar.

MAS GREG, QUERO FAZER UMAS PERGUNTAS

E SE MINHAS AMIGAS ESTIVEREM ENGANADAS?

Querido Greg,

Meu namorado e eu terminamos há três meses, depois de quase quatro anos juntos. Apesar de ter sido uma decisão conjunta, fico pensando se foi a decisão certa. Todas as minhas amigas acham que preciso seguir em frente porque passei toda a minha vida adulta com ele (terminei o ensino médio há três anos e foi no colégio que nos conhecemos). Elas dizem que estou vivendo no vácuo, que não agüentam mais ouvir falar disso, e que,seja como for, jamais gostaram muito dele mesmo. Mas quanto mais converso com elas, mais eu penso que estão erradas e só cansadas de me ouvir falar disso. O que você acha?

Tamara

Querida Tamara Que Nunca Aparece,

Uma coisa que as pessoas esquecem: você também tem um relacionamento com seus amigos e amigas. Tais relacionamentos sempre acabam sendo mais profundos do que esse seu que fracassou, e neste momento, eles certamente são mais importantes. Suas amigas querem o que é melhor para você, e preciso reconhecer que elas acompanharam o seu relacionamento com seu namorado o tempo inteiro, porque as amigas se importam e partilham a vida umas das outras. Por isso, aceite a opinião delas e siga em frente. Além de confiar nos próprios instintos para saber que acabar com o namoro foi a jogada certa, o fato de suas amigas estarem apoiando a sua decisão só devia fazer com que você se sentisse bem com ela. Você também deve confiar nos seus instintos quando eles dizem que suas amigas estão cheias de ouvir falar sobre o fim do seu namoro. Pare um pouco e aproveite as outras coisas ótimas que boas amigas têm para oferecer: diversão, risos, roupas para pegar emprestadas e, o melhor de tudo, atividades que não têm nada a ver com o seu ex.

MAS AMIGOS SÃO PARA ESSAS COISAS, NÃO SÃO?

Querido Greg,

Já faz sete meses que meu namorado terminou comigo. Sinto que estou encarando isso bem, porque ficamos juntos quase um ano e estávamos falando de casamento quando, sem mais nem menos, ele decidiu, de repente, que não queria mais compromisso. Mas o principal motivo de estar encarando isso bem é que minhas amigas deixam que eu fale sobre o assunto o tempo todo. Eu preciso passar por esse processo, de explorar todas as explicações possíveis para o fato de meu ex ter mudado de idéia, e por que eu estou melhor assim. E ajuda ter essa válvula de escape para todas as perguntas e emoções dolorosas. Minhas amigas são as melhores do mundo, e eu certamente faria a mesma coisa por elas se estivessem no meu lugar. Mas sete meses não seria muito tempo para ainda estar resolvendo essa história?

Janet

Querida Janet do Planeta Tristeza,

Sete meses não é tempo demais se você está trabalhando numa peça da Broadway. Mas, fora isso... caramba! Chega! Ele não está na sua vida agora, então por que ainda merece tanto do seu tempo e da sua atenção? Hoje é o dia em que você vai parar de se atormentar, a você e às suas amigas, com esse assunto. Verifiquei os limites dos medidores das suas amigas, e estão no máximo. Dê um descanso para essa boa gente e siga em frente, antes que elas façam isso. Vocês nunca vão descobrir por que ele partiu seu coração, e, mesmo se descobrissem, esse "por que" só serviria para magoá-la ainda mais, sem modificar a realidade da história. Portanto, aceite que o relacionamento acabou e siga em frente. Falar sobre isso não é aceitar nada, é só resistir ao que é de verdade.

E SE A MINHA MELHOR AMIGA CONTINUAR AMIGA DELE?

Querido Greg,

Conheci meu ex por intermédio da minha melhor amiga, Lindsey. Ela ainda o vê, tem notícias dele o tempo todo, já que trabalham na mesma empresa, por isso é natural que eu ache que ela devia me contar o que ele anda fazendo. Como está reagindo ao fim do namoro? Está saindo com alguém? Sente a minha falta mas tem medo de me contar porque fiquei furiosa com ele quando terminamos? Recentemente, ela me contou que estava cansada da minha insistência em saber detalhes e tivemos uma briga séria. Estou errada de achar que ela devia vigiá-lo para mim? Não é para isso que servem as amigas?

Coco

Querida Coco Loco,

Sim, você está errada quando exige respostas da sua amiga. Ela é colega de trabalho do seu ex, não uma espiã. Ela disse que não gosta e você deve respeitar isso, senão não estará sendo uma boa amiga. É duro saber que ela tem acesso a informações que você não tem sobre seu ex, mas o relacionamento que merece mais sua preocupação agora é o de vocês duas. Veja a coisa desta forma: ela está sendo muito legal de não expor você a informações que, na melhor das hipóteses, são inúteis e, na pior, potencialmente prejudiciais. Por isso, e daí se ele está saindo com alguém? É isso que acontece quando as pessoas terminam. Conhecer os detalhes não vai trazê-lo de volta, ao contrário, vai mantê-la amarrada à vida de alguém que já está seguindo seu caminho. Quando termina é porque acabou mesmo, essa é toda a informação de que você precisa.

MINHAS AMIGAS NÃO DEVIAM TOMAR PARTIDO?

Querido Greg,

Não podia ser pior. Meu ex e eu temos muitos amigos em comum, por isso a primeira vez que ele me traiu eu pensei que a maioria ficaria do meu lado. Só que não foi isso que aconteceu. Na verdade, foi como se nada tivesse acontecido. Se são realmente meus amigos, por que não o condenam? Sei que não posso pedir isso a eles, mas fiquei muito magoada de não terem feito isso espontaneamente. Como podem não se revoltar com meu ex, e como podem não se enfurecer com ele por ter feito algo assim tão terrível comigo? Como enfrento isso?

Robyn

Queria Amiga Carente,

Isso é podre... de verdade. É difícil compreender que uma traição como essa seja ignorada por pessoas que deviam se importar com você. Parece que seus amigos não sabem muito bem como lidar com o fato de estarem no meio do fim do seu namoro. Entenda que não pode pedir a eles que tomem partido, mas certamente vale a pena ter uma boa conversa com eles para explicar o que você está sentindo e dar-lhes uma oportunidade de defender seus partidos. Mas é claro que este momento também deve servir para você buscar novas amizades fora do círculo que inclui seu ex-namorado, especialmente se sente que seus amigos atuais não preservam os mesmos valores que você. Dividir os amigos quando um casal se separa sempre gera problemas. A mesma coisa aconteceu comigo, e fiquei supermagoado quando meus amigos não tomaram partido nenhum e quiseram continuar amigos de nós dois. Mas, no fim das contas, isso me forçou a buscar novas amizades, que acabaram me levando a conhecer a minha atual mulher. Para saber mais sobre isso, leia a página 98.

PERGUNTAS BÔNUS

E SE MINHA AMIGA ESTÁ ME DEIXANDO LOUCA?

Eu quero terminar com a minha melhor amiga. Eu gostava demais dela, como se fosse minha irmã, mas agora quero esganá-la. Olha só, ela estava namorando um cara que todas nós detestamos, chamado Mickey – galinha, bêbado e safado em todos os sentidos, e estávamos sempre dizendo para ela terminar com esse elemento. Na última primavera, ela finalmente terminou e ficamos muuuuito contentes, mas agora ela não pára de falar dele e daquele relacionamento que nunca deu certo. Nos primeiros meses não me importei, mas já vai fazer um ano e agora eu estou quase achando que ela devia voltar para ele, só para calar a boca. Socorro!

Melissa

Querida Estranguladora de Boston,

Ela só perdeu o cara há um ANO... dá um tempo! Brincadeira. Não termine a amizade com sua amiga triste, apenas estabeleça alguns limites. Como amiga, você tem o dever de escutar, mas também é seu dever dizer à amiga triste que ela está abusando dos limites da amizade. Neste momento você não está lhe fazendo nenhum favor aceitando esse comportamento. Se disser a ela da forma mais gentil possível que não agüenta mais ouvir falar desse assunto, também estará sinalizando que ela está com um problema, e isso talvez a estimule a conversar com um profissional, ou simplesmente a parar de ficar falando só do Mickey Ratazana. Nossa, eu odeio aquele cara! Se ela não entender sua sinceridade e não respeitar seus limites, então você deve pensar em botar essa amiga no banco por um tempo. Poderá se reaproximar e reacender a amizade mais tarde, quando sua amiga tiver uma visão melhor da vida e puder conversar sobre outras coisas.

E SE O EX DELA É O MEU PAI?

Querido Greg,

Meu pai e minha mãe se separaram depois de quase vinte anos casados, porque ele "deixou de amá-la". Sei que isso é horrível e que dói muito, e que minha mãe está sofrendo demais, mas ela não pára de falar nisso. Tenho quase dezesseis anos e estou começando a namorar, e ela está me enchendo o saco. Todos os dias vem com uma nova história/sermão do tipo "... e nunca deixe que um homem faça isso com você... porque todos eles mentem, como seu pai". Eu me sinto péssima por ela. Ela chora o tempo todo. Fica com raiva. Está com a cabeça no pé. Moro com ela, por isso sei que isso a está destruindo, mas ele é o MEU PAI e ainda o amo. O que posso fazer para apoiar a minha mãe, sem tomar partido?

Trista

Querida Filha do Coração Partido,

Você precisa dizer a sua mãe para parar com isso hoje mesmo! A questão é que você pode ser amiga dela, mas é, definitivamente, em primeiro lugar e principalmente, sua filha, e ela tem obrigação de cuidar de você. Ficar atacando seu pai não é saudável para nenhuma das duas. Você tem de ajudá-la a entender o que está fazendo. Explique como se sente quando ela fala mal do seu pai (exemplo: "Dói quando você fala do papai desse jeito... eu o amo"). Tenho certeza de que ela não está fazendo isso de propósito, por isso sugira que ela converse com um profissional sobre o problema ou, no mínimo, com uma amiga que não seja você. Quanto ao seu namoro, tenha experiências só suas, não da sua mãe. Lembre que você pode apoiá-la sendo boa para ela e não sendo sua caixa de ressonância. Tente encorajá-la a buscar válvulas de escape mais positivas para a energia dela. Boa sorte, Tigrona!

A MELHOR PIOR NOTÍCIA

Nós não sabemos o que você fez no passado quando outros relacionamentos terminaram, e talvez você também não lembre mais, mas apostamos que suas amigas lembram. Quer dizer, se você não enfrentou bem os fins de namoro anteriores, elas já estão se preparando para a torrente de lágrimas, para os telefonemas no meio da noite e para a obsessão desesperada e monotemática que tornará você uma pessoa nada divertida para se ter ao lado nos próximos meses. A boa notícia é que você tem agora mesmo a oportunidade de resolver tratar desse fim de relacionamento de um modo diferente, sem egoísmo e com classe. Decida que terá consideração pelas suas amigas e que aceitará o apoio delas com sabedoria e sensatez. É, você acabou de terminar um namoro e isso é horrível, mas há maneiras de ser responsável pela sua dor.

DIVISÃO DOS AMIGOS

Poucas coisas são mais difíceis numa amizade do que quando dois amigos comuns se separam. E se aprendemos alguma coisa com todas as nossas separações, foi que você sempre se surpreende com o destino das fichas nesse jogo e como os amigos tomam partidos. É a mesma coisa que escolher os times para uma partida, só que, dessa vez, não são os capitães que escolhem. Os jogadores é que decidem em que time querem entrar, ou se querem jogar essa partida. Ter de escolher um lado é quase impossível, a menos que já houvesse uma linha divisória bem nítida antes, ou que essa divisão tenha sido determinada por algum comportamento realmente repugnante. Em geral, o que acontece no fim de um relacionamento é problema do casal e de ninguém mais. Seguindo essa linha de raciocínio, quando tiver de enfrentar essa situação, sugerimos que dê uma olhada honesta nas pessoas que chama de amigos e veja em que essas amizades se fundamentam. As respostas vão ajudá-la a entender as complexidades e as decepções que podem ocorrer nesse período.

As amizades em questão se resumem basicamente a três categorias: os seus amigos, os amigos dele e os amigos comuns.

AMIGOS COMUNS

Quanto mais longo foi o namoro, mais amigos comuns vocês devem ter, e é claro que essas são as amizades mais difíceis de dividir. Uma dica: você não tem o controle sobre as pessoas. Elas vão sentir o que sentem e fazer o que fazem. Na esteira das decisões delas, tudo que você pode fazer é resolver o que funciona para você, o que você gosta mais e deixar as peças caírem onde têm de cair. O fim do relacionamento pode ser complicado para seus amigos e amigas também. Eles não sabem quem devem apoiar, preferem não ter de escolher um de vocês dois e provavelmente gostariam que vocês continuassem juntos porque assim tudo seria muito mais simples.

Então, facilite a vida deles e NÃO OS OBRIGUE A ESCOLHER! Deixe que eles mesmos decidam se querem ser amigos seus, amigos dele ou, ainda, amigos dos dois. Alguns amigos não querem ser arrastados para o meio da sua separação e você terá de respeitar isso e resolver se pode conviver com essa atitude. Para os amigos que querem continuar verdadeiramente mútuos, você terá de estabelecer limites que funcionem para vocês dois. Por exemplo: até que ponto você não fica constrangida quando eu falo sobre isso? Vai se incomodar se eu descascar o meu ex? Vai se incomodar se eu não quiser ir às mesmas festas e reuniões que ele vai, e será bom para você fazer algumas coisas "só nossas" por um tempo? Aí, se você concluir que é difícil demais estar com essas pessoas porque continuam amigas do cara que traiu você, tire-as do time, ou pelo menos ponha a amizade delas no banco por um tempo.

OS AMIGOS DELE

Sabemos que você adorava os amigos dele. Eles eram muito divertidos e simpáticos, até a irmã dele, um verdadeiro amor de pessoa que se tornou uma de suas melhores amigas. Mas são amigos *dele*. Não insista nessas amizades. Se eles quiserem ser seus amigos, vão demonstrar isso. Respeite o fato de que, apesar de gostarem de você, não devem querer ouvi-la dizer que ele é um babaca, e preferem que você não peça informações sobre ele. E seja sincera sobre o motivo de querer manter a amizade com eles, antes de mais nada. Esperemos que seja porque são pessoas com muitas qualidades, não porque estão próximas dele. Seus amigos são os seus amigos. Os dele são dele. Pense neles como uma calça jeans: só porque você adora a calça jeans dele não quer dizer que ela seja sua.

OS SEUS AMIGOS

Como já dissemos antes, as suas amigas são uma das utilidades mais valiosas que você tem agora. Algumas podem ter ficado amigas do seu ex, mas, se você não se tornou um completo pesadelo, elas provavelmente ficarão do seu lado, sem perguntas. Pode haver uma ou duas que vão continuar se dando bem com o seu ex se o fim do namoro foi amigável, ou se houver alguma situação especial (como trabalhar na mesma área). Você tem de resolver se aceita bem isso e ter uma conversa franca sobre o assunto. Suas verdadeiras amigas devem respeitar suas necessidades nesse período e fazer tudo que puderem para apoiá-la. Em troca, você pode fazer uns brownies para elas (veja na página 104), ou pelo menos certificar-se de que elas se sentem queridas e valorizadas por serem tão importantes na sua vida.

UMA SUGESTÃO: telefone para as suas melhores amigas e diga para elas: "Oi, estou muito mal aqui e vou precisar da sua ajuda." Informe que isso pode demorar um pouco, mas que se puder dispor de uma hora por dia com uma delas, seria ótimo. Assim, você pode extravasar a necessidade de sentir tristeza e de reclamar da vida sem forçar uma ou duas delas a suportar toda a carga e arriscar não ser mais bem-vinda. Elas certamente vão atender ao seu pedido (a não ser que suas amigas sejam horríveis). E não é só isso; considerando que você foi legal e pediu ajuda, elas provavelmente farão de tudo para resolver isso com você. Não deixe de demonstrar e dizer que você também gosta delas. E o mais importante: escute as opiniões delas e o que têm a dizer – elas são suas melhores amigas porque gostam muito de você. O estímulo e a sabedoria delas vão guiá-la na superação desse coração partido, mas você terá de tirar esses lenços de papel encharcados de lágrimas das orelhas para realmente *ouvir* o que elas têm a dizer. A propósito, para que tampou as orelhas com isso?

O QUE EU FIZ DE ERRADO

GREG

"Greg! Se você não parar, eu vou dar um soco no seu pescoço." Mas você não sabe pelo que estou passando, cara. "Infelizmente eu sei, porque você não fala de outra coisa nesses últimos seis meses." Eu sei, mas falar ajuda. "Tenho de discordar disso. Você está parecendo tão ferrado agora como ficou quando isso aconteceu, só que agora sou *eu* que não gosto mais de você." Mas você é meu amigo. "É, mas você não me ouve. Já dei sugestões para você superar isso, já tentei levar você para outros programas além de beber e sentir pena de você mesmo, e até recomendei que procurasse ajuda profissional. Mas percebi que você não está falando comigo, está falando *para* mim. Você não quer ajuda. Quer se sentir uma merda mesmo. Você gosta de ter um motivo para sofrer, por isso vou deixar você fazer isso sozinho, porque sinceramente eu não tenho mais saco para esse Bebê Chorão que você se tornou." Caramba, isso é dureza! Mas foi essa a conversa que tive com não poucos bons amigos e uns dois atendentes de bar também. O fato é que levei algum tempo para recuperar essas amizades, então, por um bom tempo, além de estar sem uma mulher para amar, também fiquei sem amigos. Às vezes os amigos são a única coisa que temos, e é nesses dias de escuridão que temos de dar valor a eles e além disso escutar o que dizem, e realmente nos esforçar para levar em conta o que estão dizendo. Quer você saiba ou não, eles acompanharam o seu relacionamento e podem ter boas idéias e bons pontos de vista sobre isso. Então, pelo amor de Deus, pare de falar sobre a sua EX!

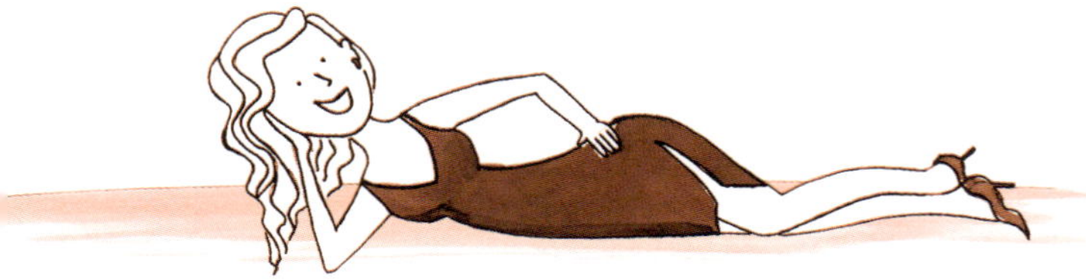

COMO SUPEREI ISSO

AMIIRA

Já mencionei antes que realmente aproveitei a ajuda das minhas amigas desde o primeiro minuto do grande fim do meu casamento. Convoquei-as para prestar serviço, e elas apareceram uniformizadas segundos depois, para ajudar a me segurar durante a minha agonia. Elas foram de fato simpáticas, *até um certo ponto*, mas já tinham concluído muito antes de mim que o meu relacionamento era podre. Tinham aturado meu sofrimento e minhas desculpas enquanto eu estava envolvida naquele relacionamento horrível, por isso quando acabou não foi surpresa alguma para o meu círculo mais íntimo, apenas um suspiro coletivo de alívio. Muitas vezes não nos damos conta, mas nossas amigas também vivenciam os nossos relacionamentos como observadoras secundárias, por isso podem ser objetivas em coisas que nós não podemos. Isso é uma bênção. Toda vez que eu ficava triste ou nostálgica sobre alguma coisa boa do meu ex, minhas amigas me bombardeavam com vinte coisas que não eram boas. Elas não me deixavam usar os óculos cor-derosa para romancear o passado. Forçavam-me a ver o relacionamento como realmente era e como realmente tinha sido durante todos aqueles anos. Apelavam para o meu raciocínio lógico, para o meu orgulho, minhas esperanças e meus sonhos de que o amor devia ser, e me faziam ver claramente que, apesar de meu coração querer voltar para aquela relação de merda porque o mundo que se abria diante de mim era novo e desconhecido, eu, como uma pessoa consciente e com certo auto-respeito, NÃO DEVIA QUERER.

IDÉIA IMPRESSIONANTE

Até Halle Berry levou o fora. (Que imbecil tomou essa decisão?)

PESSOA DEPRÊ

CADERNO DE EXERCÍCIOS DIÁRIOS E, ÀS VEZES, LIVRO DE RECEITAS

Escreva tudo que está pensando sobre o seu ex numa folha de papel. Todas as perguntas sem resposta, arrependimentos, idéias maliciosas, detalhes sexuais, divagações nostálgicas, letras de músicas, coisas que a deixaram furiosa, defeitos evidentes, coisas secretas que só você sabe e assim por diante... Agora, amasse essa folha de papel até virar uma bola, jogue no lixo e mentalize essa bola de papel lá. É assim que o interior da cabeça da sua melhor amiga fica quando você não pára de falar sobre o seu ex.

Talvez seja hora de mostrar para as suas amigas o valor que dá a elas, fazendo alguns dos famosos Crack Brownies da Amiira (sem nenhuma substância ilegal na receita). Prometemos que tudo será perdoado na primeira mordida!

Crack Brownies

50 caramelos light
1/3 de xícara de leite desnatado
1 pacote de mistura para bolo de chocolate
3/4 de xícara de manteiga derretida (esqueça a margarina)
1/3 de xícara de leite desnatado (sim, mais 1/3 de xícara)
2 xícaras de chips de chocolate ao leite (ou meio amargo, se você é esse tipo de mulher)

Pré-aqueça o forno a 180°C. Numa panela, junte os caramelos com 1/3 de leite desnatado. Cozinhe em fogo baixo, mexendo sempre, até derreter os caramelos. Unte com manteiga e polvilhe farinha numa assadeira de 22 cm x 33 cm. Num pirex fundo, junte a mistura para bolo em

pó, a manteiga derretida e o outro 1/3 de xícara de leite desnatado. Bata manualmente até a massa ficar homogênea. Divida essa massa em duas partes iguais e espalhe apertando uma metade na assadeira untada. Asse a 180°C durante 8 a 9 minutos. Tire do forno e espalhe os chips de chocolate sobre o bolo. Derrame a mistura de caramelo sobre os chips de chocolate. Espalhe esfarelando com a mão o resto da massa em pó sobre a camada de caramelo. Ponha a assadeira outra vez no forno e deixe por 20 minutos. Retire, deixe esfriar uns 15 minutos, depois corte em quadrados. Guarde na geladeira e deixe gelar por pelo menos meia hora antes de servir. Guarde sempre na geladeira quando não estiver servindo, porque fica melado em temperatura ambiente.

Agora, convide suas amigas para comer os brownies e sele um pacto com você mesma para conversar sobre elas, não sobre você o tempo todo!

CONFESSIONÁRIO PSICÓTICO

Quando meu namorado terminou comigo, eu enlouqueci, literalmente. Não conseguia controlar a obsessão por ele e fui afastando minhas amigas, uma por uma. No início, elas começaram a não atender minhas ligações, depois pararam de ligar de volta. Finalmente caiu a ficha para mim quando três delas compraram celulares novos e não se lembravam dos números toda vez que eu perguntava. Acabei conversando com minha amiga mais antiga e quis saber o que estava havendo. Amigas não deviam ajudar num momento como esse? Bem, com todo o amor que ela conseguiu reunir, minha amiga me disse que eu tinha ultrapassado todos os limites quando queimei meu nome no gramado na frente da casa dele com fertilizante. Por mais simpáticas que elas quisessem ser, vandalismo era demais. Depois disso, comecei a me tratar com um terapeuta e todas as minhas amigas, uma por uma, foram me dando seus números de telefone novamente.

Anônima
Lawrence, KS

TOMADA INTERNA – QUARTO – DIA

As cortinas estão fechadas e a cama e o chão estão cheios de provas de que alguém está acampado ali há algum tempo (caixas de vídeo, recipientes de quentinhas etc.).

De baixo das cobertas ouvimos...

SHANA: *Ainda não estou me sentindo muito bem. Acho que vou ficar em casa hoje. (pausa) O quê? (pausa) Mas eu só me afastei algumas semanas... (pausa) O que quer dizer, que eu não trabalho mais aí? (pausa) Quando foi que me despediram? (pausa) Ah... Eu tenho de sair da cama para a rescisão do contrato?*

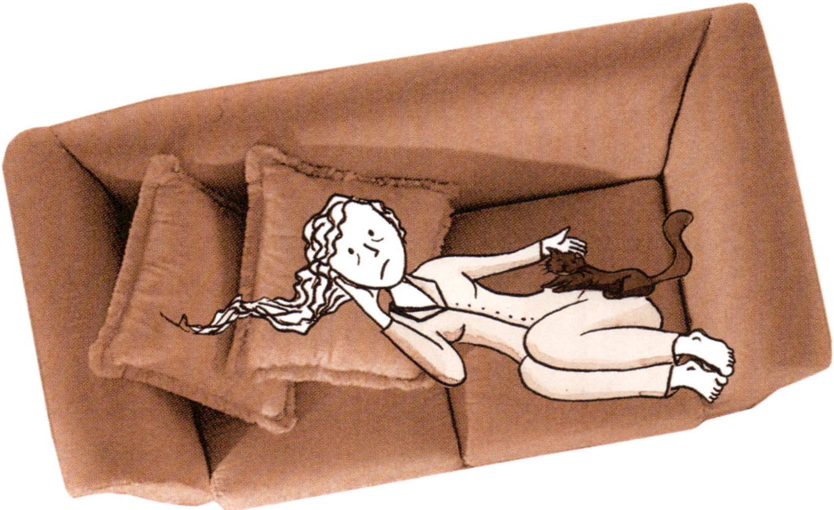

Capítulo Cinco

PARE DE FINGIR QUE ESTÁ DOENTE

Que horas o relógio marca depois de você apertar o botão "soneca" do despertador cinqüenta e duas vezes? Hora de perceber que você não pode dormir o tempo todo para se curar do fim do seu relacionamento. É uma sensação boa, admitimos. Escapar para a escuridão do sono representa um certo alívio, no entanto é uma fuga da realidade que impede que você enfrente o que realmente está acontecendo. "Mas está tão gostoso aqui na cama", você alega. É mesmo, mas logo isso vai se desgastar, especialmente depois de você ser demitida do seu emprego, de cortarem sua luz porque estava sonolenta demais para fazer o cheque para pagar a conta e levar até a caixa do correio.

Por outro lado, algumas de nós ficam deitadas na cama acordadas noite após noite, rezando para que o Sandman nos conceda um minuto de sono, uma trégua para o nosso sofrimento. Há aquelas pobres almas cujas mentes dominadas pela ansiedade não lhes dão descanso, que ficam repassando a fita infinita do "Por quê? Por quê? Por quê?" Não importa em que categoria você se enquadra. Nosso conselho para você é o mesmo para todas. Não finja que está doente hoje. Você não pode evitar a sua vida.

Olha, ele já levou seu coração e seu ânimo. Agora você vai deixar que ele leve o seu emprego também? Em momentos como esse, você deve ficar doida para ter um lugar para ir todos os dias. Um lugar que tenha a ver com você e com o que você pode realizar, independente do seu status em matéria de relacionamento. Abrace seu chefe (não literalmente, porque isso ia deixar tudo mais confuso) e peça para ele encher você de trabalho. Mãos ociosas são mensageiras do diabo. O trabalho é a melhor coisa que você pode ter agora. Ele a leva para fora de você mesma, porque precisa dar satisfações para alguém ou de alguma coisa além do seu sofá e daquela maratona de *Sex and the City*. Se não tem um emprego, talvez seja hora de arrumar um. E isso não vai acontecer se ficar na cama. Não há muitos patrões que pensam: "Estou procurando um funcionário que durma muito."

Quando a letargia completa ou a insônia atacarem você, é possível que esteja sofrendo de depressão. Não estamos dizendo que esses sintomas não são reais, ou que não têm razão de ser. Mas saiba que podem ser como areia movediça. Depois de afundar nesse tipo de rotina, é muito difícil sair dela. Não ter energia para fazer outra coisa senão sentir pena de si mesma é um sintoma de depressão. E, como qualquer outro problema, você tem de ser capaz de reconhecê-lo antes de poder tomar qualquer providência.

É por isso que nós dizemos, Mergulhe no seu trabalho! Mergulhe de cabeça na sua vida. Reaja àquela vontade de se encolher em posição fetal e encha seus dias com o máximo de atividades que conseguir agüentar. Ligue para aquela velha amiga com quem já queria conversar havia muito tempo, grave todos os seus CDs no seu iPod, ou tire a poeira daquele piano no canto da sala. Se você se mantiver ocupada, com a sua mente ocupada, será capaz de sobreviver a esse período e evitar ser dominada pela verdadeira depressão. Sabemos que é um saco, mas você precisa se forçar a sair dessa cama-casulo confortável e aconchegante, e voltar para o seu eu borboleta animada.

MAS GREG, QUERO FAZER UMAS PERGUNTAS

E SE EU NÃO CONSIGO SAIR DA CAMA?

Querido Greg,

Depois que o meu namorado terminou comigo, eu fiquei na cama um mês inteiro. Não conseguia comer, encontrar um motivo para tomar banho, nem tirar meu pijama, quanto mais me arrastar para fora de casa. Só fazia dormir. Nem abri as cortinas do meu quarto. Estava de luto. Perdi todas as minhas aulas e acabei ficando em recuperação em algumas matérias, por isso vou precisar estudar nas férias de verão. Ainda não estou pronta para enfrentar a minha vida de novo, mas não quero abandonar o colégio por causa desse cara. Como volto a segurar as rédeas, como se diz, se mal tenho força para sair da cama?

Callie

Querida Voltando a Ser Callie,

Simplesmente faça! Diga para você mesma: "Já fiquei de luto por esse cara um semestre inteiro, e agora ele não vai mais me destruir nem destruir meus planos de vida." Comece de forma simples. Levante-se e dê uma volta no quarteirão. Ligue para uma amiga e peça que ela vá caminhar com você para se sentir obrigada a fazer isso. Depois estabeleça objetivos simples e esforce-se para realizar alguns deles todos os dias, como ir ao mercado, telefonar para seus pais e amigas, comprar algumas roupas bonitas para as aulas de verão e pouco a pouco adiantar seu caminho de volta para a vida normal de uma mulher poderosa. Acredite quando digo que ele não é o único cara que você vai amar. Na verdade, você provavelmente vai conhecer um amor maior ainda, só que não vai encontrá-lo dormindo no seu quarto escuro. (Se encontrar um homem no seu quarto escuro, considere isso um sinal de perigo!)

MAS E SE NÃO SEI MAIS QUEM EU SOU?

Querido Greg,

Acabei de passar pela pior separação que se pode imaginar. Três anos da mais completa felicidade simplesmente desceram pelo ralo porque ele não conseguia manter o pinto dentro das calças. Nunca fiquei tão magoada e nunca fui tão humilhada em toda a minha vida. Até conheço a garota, porque, acredite, é a secretária dele. Um clichê de merda. No início, fiquei tão no fundo do poço que não tinha energia nem para tomar banho. Simplesmente não conseguia acreditar que a minha vida inteira tinha desmoronado. Depois de uma semana e meia, dei uma boa olhada para mim mesma e resolvi que a mulher no espelho, de cabelo oleoso e camiseta manchada não era quem eu queria ser. Mas não sei mais quem eu sou, porque toda a minha vida girava em torno dele e em torno do futuro que tínhamos planejado juntos. O que faço agora?

Emily

Querida Emily Pós-Separação,

Já é hora de conhecer a nova Emily. Quem é ela? Eu não sei, mas ela vai sair do chuveiro a qualquer momento, e, quando aparecer, vai vestir sua calça jeans favorita, o top mais bonitinho que tiver, pentear o cabelo e se maquiar (isso é opcional, nem todas as mulheres usam maquiagem – mas um pouquinho de *gloss* dá um certo charme), e dar uma boa e longa olhada no espelho, sabendo que ela é seu melhor consolo e sua melhor amiga. Hoje é o dia que você vai resgatar a si mesma e compreender que não importa com quem você está, pois a sua vida não deve nunca girar em torno da vida de alguém, gata. Ele não era o sol, era mais Plutão, ou um asteróide numa nuvem gasosa. Uma das coisas que as pessoas nunca têm suficiente é tempo para elas mesmas. Bem, agora você tem isso, e pode fazer o que quiser com esse tempo. Até coisas que nunca fez, como dirigir carros de corrida, surfar ou entrar numa banda. Muito bem, essas são coisas que eu gostaria de fazer, mas você já entendeu. Ele enganou você uma vez, mas não deixe que engane de novo, impedindo que você tenha uma vida maravilhosa. Quem é a nova Emily? É hora de começar a experimentar, começar a se divertir e descobrir.

MAS POR QUE ESTOU REAGINDO TÃO MAL?

Querido Greg,

Não consigo dormir. Não sei se é porque estou muito acostumada a dormir com meu ex-namorado e a cama parece grande demais, ou se é porque não consigo parar de repassar "A Conversa" na minha cabeça, à procura de pistas do que deu errado. De qualquer modo, estou enlouquecendo, estou com uma aparência péssima e meu rendimento no trabalho está decaindo. Chego atrasada para as reuniões, perco o prazo para entregar os relatórios, chego tarde ao

escritório, ou às vezes nem apareço! Já estive nessa situação antes e até tinha pensado em terminar com o meu ex algumas vezes, mas ele se antecipou. O que está acontecendo comigo?

Alix

Querida Atrasadinha,

O cérebro é realmente uma coisa incrível. Tem muitos artifícios para informar que você está encrencada. E o fato de você reconhecer que certos aspectos da sua vida estão desandando significa que seu cérebro quer consertar isso, mas não sabe como. Se você não está melhorando, há terapeutas, médicos e psiquiatras especializados que podem ser encontrados na sua lista telefônica, na Internet, ou até por intermédio de uma amiga. Às vezes nós não conseguimos mesmo raciocinar para encontrar a saída do que estamos sentindo, e não existe melhor maneira de resolver o problema do que pedir ajuda para aquelas pessoas que fizeram da profissão de suas vidas ajudar os outros a fazer exatamente isso.

MAS E SE EU NÃO PUDER EVITAR DE VÊ-LO?

Querido Greg,

Meu namorado e eu terminamos porque eu queria me casar e ele não. Sei que fiz a coisa certa, porque realmente quero me casar um dia e não devo desperdiçar meu tempo com alguém que "não é do tipo casadouro". Mas trabalhamos no mesmo lugar, por isso é bem constrangedor e doloroso cada vez que nos vemos, porque ainda o amo. Já gastei todos os meus dias de licença por doença permitidos e fiquei hibernando em casa. Simplesmente não consigo encarar isso. Você acha que estarei sendo boba ou fraca se pedir para ser transferida para outro departamento para não vê-lo mais?

Genevieve

Querida Espertinha,

Acho maravilhoso você ser capaz de reconhecer que, para sua autopreservação, uma transferência é melhor. Não é fraqueza nenhuma – é de uma sensatez incrível. E não é bobagem. Bobagem seria se fantasiar de palhaço e ir para o trabalho com a esperança de que ele ia te reconhecer. Você consegue entender que o relacionamento acabou e que está pronta para seguir em frente – isso é genial! Eu digo que você devia, além de pedir a transferência, também receber em dinheiro suas férias uma semana antes de trocar de departamento e ir para algum lugar muito bom. Gostaria que mais pessoas tivessem a coragem de perceber que o segredo para se recuperar de um caso terminado é o tempo longe, e se colocar numa situação em que você possa vencer. Mesmo se não conseguir essa transferência, há sempre outros empregos. Talvez isso seja o ponto de partida para uma nova carreira, porque você é obviamente inteligente, perspicaz e "empregável". Levante dessa cama e faça tudo para ser forte só mais um pouco – e mantenha um sorriso no rosto, porque está dando os passos de que precisa para começar um novo capítulo na sua vida.

A MELHOR PIOR NOTÍCIA

A melhor pior notícia é que você tem sua vida de volta. Sei que está pensando: "Não quero a minha vida de volta. Quero a minha merda de namoro de volta." Mas a sua merda de namorado não quer *você* de volta. Isso não quer dizer que há algo de errado com você. Poxa, ele pode até estar procurando alguém pior do que você porque bem lá no fundo sente que não merecia você. Independente disso, a pessoa com quem você estava resolveu que você não era a pessoa certa para ele. Ou foi você que resolveu isso. Ou então os dois. De qualquer forma, é caso encerrado. O sapato não entra, por mais que você empurre seus dedos lá para a ponta, portanto, jogue fora.

Esse tempo é uma dádiva, e você deve reconhecer que talvez nunca mais tenha uma oportunidade como essa. O seu próximo relacionamento pode ser o que vai durar para sempre, uma idéia maravilhosa, mas que também significa que você raramente terá um momento só para você de novo. Então, aproveite essa oportunidade para se reinventar e se aprimorar. Você tem a chance de se concentrar totalmente em você, um luxo que muita gente jamais tem. Adiante a sua carreira ou decida-se por uma, atualize seus estudos, viaje pelo mundo, construa aquela pista de boliche que sempre quis, entre em forma, leia os livros que nunca teve tempo para ler, invente um novo sabor de sorvete, ou redecore sua casa e cerque-se de um ambiente inspirador. Abrace esse tempo e gaste-o de um jeito bem egoísta! Siga na estrada para se tornar a pessoa que sonha ser, não a concha daquela que deseja passar a vida toda dormindo.

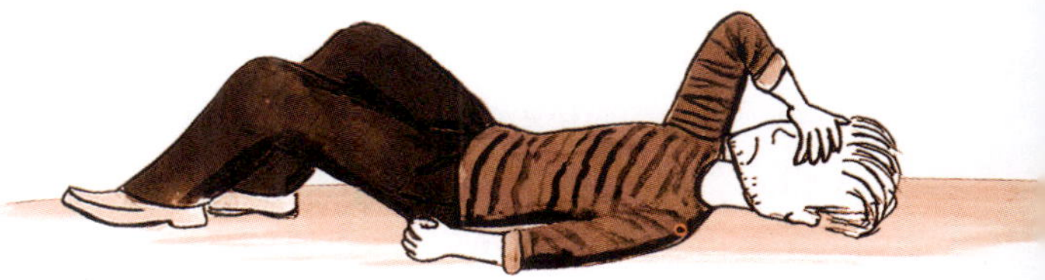

O QUE EU FIZ DE ERRADO

GREG

É fácil jogar fora um emprego que você não tem. É fácil não procurar amigos que você não tem, desfazer-se de uma prova que você não tem, ou de um hobby que você não tem. É fácil adiar um sonho que você não tem. Mas é duro não ter uma vida. Quando a fumaça começou a baixar e eu fiquei sóbrio, descobri que o ponto central da minha vida tinha sido ela e a falta dela. Uma coisa que você precisa saber sobre mim. Eu amo amar. Amo frio na barriga e o barato do primeiro beijo.

Amo bilhetes, e-mails e mensagens no telefone. Amo os cheiros, os sons e os sabores. Mas num ponto diferente da minha vida, também amava ficar triste e ferrado, beber demais, escutar rock depressivo e dormir o dia inteiro. Era O Cara Apaixonado, O Cara Que Foi Destruído Pelo Amor. Essas duas imagens me deram uma identidade. Mas quando a poeira do meu super-fim-de-relacionamento começou a baixar, de repente eu era O Cara Sem Plano Nenhum, e isso tinha de mudar. Foi aí que tive a idéia mais espantosa: "Eu preciso recomeçar." Sei que não parece uma idéia nada espantosa, menos ainda revolucionária, mas foi exatamente isso. É estranho como a gente ouve certas palavras a vida inteira e elas não deixam uma impressão marcante. Mas quando a realidade daquela situação cai em cima de nós, quando a única coisa que queremos é uma segunda chance, quando odiamos a vida que estivemos levando e subitamente surge uma opção, essas mesmas palavras podem se tornar salva-vidas. E, num piscar de olhos, o mundo parecia repleto de possibilidades. Como aconteceu, eu não sei. Mas, desde então, passei a cuidar de mim mesmo, levantando da cama, tomando banho regularmente e saindo de casa. Tornei-me cada vez mais aberto para novas idéias porque comecei a realmente sentir e reconhecer que o jeito que eu vivia antes não era bom para mim. Nossa, levei só oito meses para descobrir que o primeiro passo era levantar da cama todos os dias.

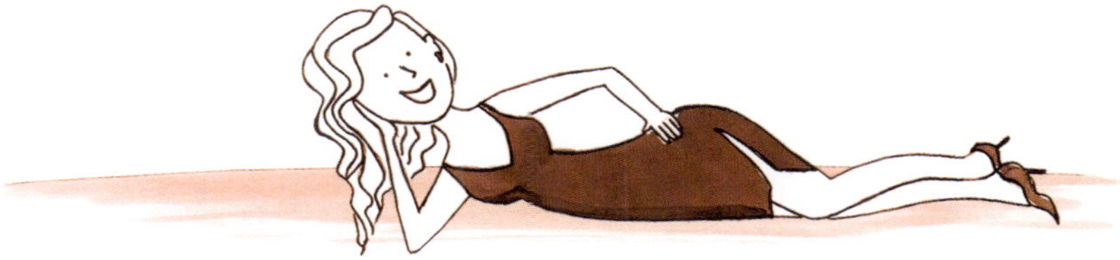

COMO SUPEREI ISSO

AMIIRA

Eu era uma das insones. Ficava nauseada o tempo todo e não podia nem pensar em comer. Minha dor se manifestava de forma verdadeiramente física e meu estômago se transformava num poço vazio de tristeza. Eu me sentia tão doente, fisicamente, toda vez que o meu relacionamento desandava que teria ficado muito debilitada se não tivesse muita força de vontade e um limiar elevado de resistência à dor (duas qualidades que dou graças de ter). Cada vez que o meu ex-marido levava nosso relacionamento para as águas turvas do "Eu não sei se amo você", ou seguia a linha "Eu não quero ficar casado", eu ficava seca de tanto peso que perdia, e as olheiras não abandonavam mais os meus olhos. Ficava com uma aparência horrível, uma garota triste e doente andando pelo mundo.

Mas sabe o que eu tinha? Um grande emprego, um chefe muito legal, amigos maravilhosos e um *step* StairMaster 4000PT. Eu realmente adorava o meu trabalho de executiva numa gravadora, e ficava eternamente grata de ter de comparecer a reuniões, prazos para cumprir, planejamentos de marketing para criar e encontros com bandas. Chegava cedo porque não conseguia dormir. Dediquei-me ao trabalho de corpo e alma e sentia alívio e satisfação de cumprir bem minhas funções, apesar da minha situação. Preenchia o resto do tempo lendo livros, ouvindo música, conversando com amigas, assistindo a filmes, malhando, e fazendo qualquer coisa, menos ficar presa ao turbilhão de pensamentos em excesso. E sabe de uma coisa? Toda aquela atividade se contrapunha ao meu sofrimento na balança da minha vida. Eu me concentrava em alimentar as outras partes da vida para não me sentir tão vazia, perdida e nauseada com o fracasso do meu casamento. Não ia deixar um relacionamento e uma pessoa sobre os quais não tinha absolutamente nenhum controle me derrotarem mais. Em todas as outras áreas da minha vida eu estava bem, por isso, além de me sentir eu mesma, tinha também algo em que me agarrar como alicerce de uma nova construção.

IDÉIA IMPRESSIONANTE

Ter um lugar para ir, como um emprego, é muito bom. São oito horas por dia em que você tem de pensar em outras coisas, não no seu relacionamento (pelo menos um pouquinho).

PESSOA DEPRÊ

CADERNO DE EXERCÍCIOS DIÁRIOS E,

ÀS VEZES, LIVRO DE RECEITAS

Liberalidades deprês (Liberalidades loucas da pessoa deprê)

Escaras e choradeiras

Era uma vez uma garota ____ (adjetivo superpositivo) chamada ____ (seu nome). Sua/seu ___ (adjetivo) era inquestionável. Todos/as os/as ___ (substantivo plural) que a conheciam sabiam que ela era ___ (adjetivo supersensual). Um desses ___ (substantivo) fazia mais esforço que os outros para atrair a atenção dela. Ele era tão ___ (adjetivo) e ___ (temperatura) que ___ (seu nome) não conseguiu resistir. Muitos acharam que ela estava sendo ___ (adjetivo negativo) por sair com ___ (nome do seu ex). Depois de ___ (número) longos meses de momentos ___ (adjetivo), as coisas começaram a ficar realmente ___ (adjetivo). Então, sem mais nem menos, as coisas ___ (advérbio) acabaram. Todos acharam que ___ (nome do seu ex) era o mais completo ___ (adjetivo negativo) e que ele devia se ___ (verbo). Mas nem isso fez ___ (seu nome) se sentir melhor, por isso ela retirou-se para seu ___ (substantivo) e foi dominada pelo/a ___ (substantivo). Depois de ___ (verbo) as feridas, ela se reergueu e resolveu que aquele era o dia ___ (adjetivo) para resgatar sua vida. "Ele que se ___" (imprecação), ela gritou quando ___ (verbo pretérito) da cama e ___ (verbo pretérito) no chuveiro. Fez uma hidratação profunda no ___ (substantivo), depilou as ___ (substantivo plural). Passou a mão no espelho do banheiro para desembaçar, ___ (verbo pretérito) para seu reflexo e disse em voz alta: "Oi gata!" A partir desse dia, ___ (seu nome) nunca mais olhou para seu triste passado e foi viver uma vida supermaravilhosa!

CONFESSIONÁRIO PSICÓTICO

Quando meu namorado me largou por outra, fiz a única coisa sensata que me veio à cabeça: viajei para o México com uma amiga e fiquei tomando chá de cogumelo quatro dias seguidos. Infelizmente fiz isso sem avisar meu chefe, e, como estávamos no meio da semana, numa época de muito trabalho, quando voltei descobri que nem o meu emprego nem o meu namorado estavam esperando por mim. Então me enfiei na cama para dormir por algumas semanas até passar o efeito dos cogumelos, e tive aquele tipo de revelação que só acontece com alguém sofrendo de dor de cotovelo. Na manhã seguinte fui até o escritório do meu ex-namorado e exigi que ele me desse um emprego com salário maior do que o do emprego de onde tinha acabado de ser demitida, já que tecnicamente era culpa dele eu ter surtado. Naquele momento fui escoltada para fora do prédio. Atualmente trabalho numa instituição de reabilitação onde fui paciente um tempo, dá para imaginar?

Anônima
Mill Valley, CA

TOMADA INTERNA – CAFÉ – DIA

Duas mulheres jovens e muito modernas, Delilah e Shay, estão sentadas num café supertransado de Nova York, tomando café e batendo papo.

SHAY: *Então descobri que, além de estar dormindo com a minha irmã, ele também estava indo para a cama com a minha melhor amiga.*

DELILAH: *Pensei que eu era sua melhor amiga.*

SHAY: *Mas na verdade ele é um cara legal.*

DELILAH: *É, parece ótimo.*

SHAY: *Bom, é, ele estava sempre chapado e pegava muito dinheiro emprestado e nunca nem falava de pagar de volta, mas era um amor. Queria muito tê-lo de volta.*
Delilah faz cara de incrédula.

SHAY: *Sabe? Ele tinha mãos muito macias... e sempre dividia os cigarros dele e quando ficava de porre passava a noite inteira fora de casa para não perturbar meu sono. Muita consideração dele.*

DELILAH: *A conta, por favor.*

SHAY: *Você acha que eu devo ligar para ele?*

Capítulo Seis

SE ELE FOSSE TÃO MARAVILHOSO, vocês ainda estariam juntos

Ele acabou de terminar tudo com você. Então, ele não é aquele ser maravilhoso, a menos que você seja uma pessoa horrível, o que achamos que não é. Ou foi você que terminou com ele, por isso ele não deve ser tão maravilhoso, senão vocês ainda estariam juntos. É o paradoxo do fim do relacionamento. Parece haver uma necessidade de dizer coisas boas sobre a pessoa que acabou de partir seu coração, e entendemos isso. Você não quer parecer amarga e não quer dizer para o mundo inteiro que o cara para quem você entregou seu coração e dedicou grande parte do seu tempo é um babaca. Seu orgulho ferido não precisa dessa pancada a mais, dos amigos e da família pensarem que você é uma fracassada porque namorou um cara desses. Tudo bem se você não quer parecer mesquinha, se não quer derrubar alguém de quem um dia gostou.

MAS... temos de avisar que há duas síndromes que afligem muitas refugiadas das separações recentes. A primeira é o que chamamos de **Distúrbio Revisionista do Romance**. DRR, que, como um caso de cegueira aguda 20/20, gera a incapacidade de ver o passado como realmente foi. Além disso, quem sofre de Distúrbio Revisionista do Romance não consegue controlar a necessidade de reescrever o relacionamento para se adequar aos sentimentos que deseja ter quanto a ele. Com o DRR, o mulherengo contumaz se torna "um cara maravilhoso" que apenas tinha medo de se envolver demais. O bebum que esqueceu seu aniversário se transforma no "cara que se safou". É uma doença fácil de identificar, mas, como todos os males, o primeiro passo para a cura é admitir que você tem esse problema. E esse problema é que, se realmente quer seguir com a sua vida, precisa parar de reescrever o passado e ver o seu relacionamento como realmente era: o lado bom e o lado mau, os altos e os baixos, as frustrações, as doideiras e as coisas ridículas.

Para fazer isso você tem de deixar de lado todo constrangimento ou vergonha que sente do fim do seu relacionamento. Não faz mal ter ficado decepcionada com o fato de ele ter esquecido o seu aniversário, de nunca ter feito esforço nenhum para aceitar a sua família, ou porque se importava mais com o trabalho dele do que com você. Se ele é um galinha, você pode odiá-lo por isso – é uma reação completamente natural por ter sido traída. Por mais horrível que seja, você tem de fazer força para se lembrar dos momentos piores que vocês dois tiveram, dos hábitos mais abomináveis dele e da verdade nua e crua que, além de poder viver sem você, ele prefere isso. Ai! É, dói mesmo, mas também torna mais fácil a vida sem ele, não é? Quando você reescreve o passado e faz seu romance parecer tão perfeito (por exemplo: ele se importava tanto com as minhas amigas que foi para a cama com uma delas; não era de admirar que ele sempre me chamasse pelo nome da ex namorada dele), a sua perda começa a parecer insuportável. E não é. Pode acreditar na gente. O fim desse relacionamento é conseqüência de não ter dado certo, de vocês não combinarem, de não serem o amor da vida um do outro. Você tem de parar de fingir que era o contrário. Lembre que só quando termina é porque acabou, e quem quer manter um relacionamento acabado? VOCÊ NÃO!

A segunda síndrome é o **Remorso da Rejeitada**. O Remorso da Rejeitada é diferente do Distúrbio Revisionista do Romance porque não trata da ilusão quanto ao tipo de cara que ele sempre foi, e sim da sua mudança de idéia. Com o Remorso da Rejeitada você viu a realidade, sabe que ele não é o cara certo para você e até teve coragem suficiente para terminar, mas depois, quando tem de encarar o seu primeiro fim de semana sozinha, começa a duvidar da sua decisão. (Mais ou menos assim: e daí se ele ia para a cama com outras mulheres? Ele é dado por natureza. Será que acabei de jogar fora o homem dos meus sonhos?) Todas as suas inseguranças de não saber se vai um dia encontrar o cara certo passam a ser terreno fértil para o Remorso da Rejeitada, e podem levá-la a tomar decisões muito ruins, como aceitá-lo de volta e desperdiçar mais tempo ainda num relacionamento que não vai dar em lugar nenhum. Mas caia na real: terminar com alguém é realmente muito difícil, é preciso muita coragem para desligar o relacionamento. E o fato é que, mesmo assim, você fez isso, avaliou o relacionamento como um todo, todas as suas promessas e potenciais, depois resolveu que, sem dúvida nenhuma, ele não servia para você. Confie em você mesma, porque, como diz a Oprah, *dúvida* significa *não* o tempo todo – e você duvidou que ele era "o cara certo" com tanta firmeza que acabou dando o fora nele!

MAS GREG, QUERO FAZER UMAS PERGUNTAS

E SE NÃO FOR CULPA DELE?

Querido Greg,

Estava saindo com um cara maravilhoso que era meu colega de trabalho. No início, era só paquera, mas ele finalmente me chamou para sair e rolou uma transa muito quente, e muito rápida. Como trabalhamos no mesmo lugar, mantivemos o namoro em segredo. Eu não me importaria com isso, mas nosso patrão, sem saber que estávamos juntos, pediu para o meu namorado levar a filha de uma cliente para jantar e sugeriu que um namoro talvez ajudasse a selar um ótimo negócio para a nossa firma. Para encurtar a história, ele teve de começar a namorar essa outra mulher, a trabalho, e agora diz que está confuso em relação ao que sente por mim e que acha que devemos dar um tempo. O que eu faço?

Phoebe

Querida Garota Maravilhosa da Firma,

Ei, por que não deixa o cara jogar um lençol em cima de você cada vez que vocês saírem? Que maneira ótima de dizer "eu te amo" e "tenho vergonha de você" ao mesmo tempo. Ele pode ser um cara realmente maravilhoso para o seu patrão, mas em relação a você ele é um babaca! Caia na real: ele não tinha "obrigação" nenhuma de começar a namorar a outra. Se ele era mesmo tão maravilhoso e realmente gostava de você, teria dito ao patrão que tinha uma namorada – não precisava nem revelar que era você. Vamos redefinir "maravilhoso". "Maravilhoso" tem orgulho de sair com você. "Maravilhoso" não esconde você atrás de uma planta do escritório. "Maravilhoso" não namora outras se já tem uma namorada e "Maravilhoso" não deixa o patrão ditar sua vida amorosa. Se eu fosse você, daria um tempo "Maravilhoso" para esse cara nada maravilhoso!

MAS E SE ELE NÃO PUDER TERMINAR COM A OUTRA NAMORADA?

Querido Greg,

Eu estava saindo com esse cara fazia quatro meses. Tudo nele é incrível – temos muita coisa em comum e o sexo é sensacional. Ele é muito carinhoso com os meus cachorros e até aparece para levá-los para passear quando tenho de ficar até mais tarde no trabalho. Dá para ver que ele será um ótimo pai um dia e eu certamente pensava que estávamos caminhando nessa direção. ATÉ QUE, uma noite, eu quis fazer uma surpresa aparecendo na casa dele com comida chinesa e o encontrei com a NAMORADA! Pensei que eu era a namorada dele! Então ele explicou que está realmente apaixonado por mim, mas que eles estão juntos há tanto tempo que achou que não podia simplesmente dar um fora nela. Prometeu que ia cuidar disso e pediu para eu imaginar se estivesse no lugar dela, se não ia querer que ele me dispensasse gentilmente, por consideração pelo que tivemos juntos? Concordei, mas disse que não queria vê-lo mais até ele resolver a situação. Já passou um mês e ele ainda não conseguiu terminar com ela porque tem um coração grande demais e não consegue fazer isso. Quando é que a namorada dele vai entender que ele não quer ficar com ela? Quando é que vai cair a ficha?

Alyssa

Querida Iludida,

Normalmente eu diria: "Siga em frente." Mas esse cara é obviamente um grande partido porque é carinhoso com os seus cachorros. Em tudo o mais, ele é um completo babaca. É tão difícil encontrar um homem carinhoso com cachorros, por isso não o deixe escapar. Ou então, você poderia ACORDAR! Parece que não é para a namorada dele que a ficha tem de cair. É ela que tem o namorado. A única coisa que você devia fazer é sair desse cardápio de mulheres do "cara legal". Você é mais do que um acompanhamento e merece ser tratada como o delicioso prato principal que você é. Não me entenda mal, os amantes de cães são ótimos, mas um cara com uma espinha dorsal e valores é ainda melhor. O legal está nos atos, não nas palavras. E, se você der uma olhada boa e demorada, bem realista, na sua situação, ou talvez se apenas reler a carta que enviou para mim, vai entender que está dando muito mais crédito para um cara que trai a namorada do que ele merece. Ele é um covarde traidor não de uma, mas de duas mulheres, e obviamente tem sentimentos ambivalentes por você, senão teria deixado essa outra mulher há muito tempo.

E SE NÃO HOUVER NINGUÉM MELHOR POR AÍ PARA MIM?

Querido Greg,

Meu ex-namorado tem algumas qualidades realmente incríveis. É inteligente, engraçado, gatíssimo, se veste muito bem, lê muito, tem um gosto maravilhoso para música. Até fala espanhol, como eu, o que foi muito bom quando fomos a Pamplona assistir à corrida de touros. É verdade que ele nunca quis conviver com a minha família, nem com os meus amigos (disse que minhas amigas o irritavam), e isso me incomodou tanto que acabei com ele. Andei saindo com outros caras, mas não encontrei ninguém que chegasse aos pés dele. Você acha que fui dura demais? Será que estraguei tudo? Acabei de jogar fora o amor da minha vida? Porque, afinal, ninguém é perfeito, não é?

Ursula

Querida Caso Típico,

Não sei dizer se você cometeu um erro ou se está sofrendo de Remorso da Rejeitada. Eu sei que eu, pessoalmente, não gastaria meu tempo com alguém que não gosta da minha tribo. Meu palpite é que você está se sentindo sozinha e que agora, tendo de encarar a realidade de voltar para o mercado de namorados, está entrando em pânico. De repente, o Zezinho Pamplona não parece tão ruim assim. Mas você terminou com ele por um motivo, que pode ser bem simples como não estar apaixonada por ele. Afinal, o cara não precisa ser um completo babaca para você não querer passar o resto da vida com ele. É claro que ele tinha muitas qualidades das quais você gostava, mas faltavam algumas essenciais. Nesse caso, eu diria que "quase", ou "não exatamente" continuam sendo um grande e sonoro "não".

E SE ELE FOI FEITO SOB MEDIDA?

Querido Greg,

Finalmente conheci o homem dos meus sonhos: um médico de uma família ótima, que adora crianças e me trata como rainha. Ele era tudo que eu sempre quis, bem-sucedido, carinhoso, com a vida ganha. Era até judeu, como eu, e meus pais ficaram felicíssimos porque finalmente eu estava namorando um cara judeu. Mas ele terminou comigo porque descobriu que eu não sentia atração física por ele – acho que o fato de eu precisar beber algumas taças de vinho antes de ir para a cama com ele foi o que me dedurou. Mas ele era perfeito, Greg, e agora eu estraguei tudo com uma coisa que poderia ter mudado.

Daphne

Querida Sem Contato Físico,

Ele pode ter sido feito sob medida e ser perfeito no papel, mas o currículo não transforma o homem quando o assunto é amor. Ele era perfeito, exceto pelas coisas que não eram perfeitas, o que o torna, de fato, imperfeito. Esse é o clássico Distúrbio Revisionista do Romance – voltar ao passado e apagar as partes do seu relacionamento que não funcionavam, para você poder se punir por não ter se casado com ele. Ouça uma coisa: você fez a coisa certa! Atração física é importante demais para um relacionamento amoroso e duradouro, e se isso não pintou desde o começo, imagino que teria poucas chances de aparecer mais tarde. Continue procurando um médico judeu legal que a deixe louca na cama também. Melhor ainda, risque o currículo do páreo e abra-se para o que quer que o universo puser na sua frente, porque a sua cara-metade pode muito bem ser um piloto de carro de corrida com alma de poeta que jamais esteve num bar mitzvah.

PERGUNTA-EXTRA

DEVO COBRAR DELE OUTRA VEZ, AGORA QUE ESTOU DE OLHOS BEM ABERTOS?

Querido Greg,

Meu namorado terminou comigo depois de três anos do que eu pensava ser um relacionamento incrível. Apesar de dizer que não tinha outra, desconfiei que ele estava mentindo, por isso fiz o que qualquer garota normal faria: invadi os e-mails dele e as mensagens de voz também, e dei uma bisbilhotada. Acontece que ele andava saindo com uma mulher do trabalho dele no último ano em que estivemos juntos. Legal, né? Eu sei que já terminamos e que a essa altura isso não devia ter importância nenhuma, mas o fato é que me abalou e me fez questionar nosso relacionamento inteiro. Quero que ele saiba que eu sei das infidelidades dele e que o vejo como realmente é. Não suporto a idéia de ele estar pensando que se safou dessa. Como posso confrontá-lo quanto a isso sem ter de admitir que andei espionando?

Andrea

Querida Cobradora,

Que grande idéia! Vá reviver as coisas com o cara que, além de te dar um fora, também traiu você por mais de um ano. Ele parece um vencedor mesmo. Só porque ele obviamente pulou a cerca por algum tempo e não demonstrou nenhum respeito pelos seus sentimentos, nem pelo relacionamento que vocês tinham, por que você não ia querer reabrir e processar esse caso? Ah, talvez porque a única coisa que vai conseguir fazendo isso será mais uma dose de rejeição com uma porção à parte de mágoa e raiva. Quem precisa disso? VOCÊ NÃO! Ele é nojento, e a satisfação que você terá com a condenação por causa desse caso dele é nada, se comparada com o retrocesso emocional que vai significar para você. Se é que afeta alguma coisa, a descoberta de que ele é um mentiroso e que traiu você devia fazer com que se esquecesse dele com muito mais facilidade do que se você ainda estivesse se agarrando a uma lembrança dele como esse cara incrível e perfeito. Então você julgou errado o caráter dele, ou ele, afinal, não tinha nenhum. Que importância tem isso? Lave suas mãos por esse cara de uma vez, porque ele parece sujo. Eca!

GUIA REVISIONISTA ROMÂNTICO DA REALIDADE

Sabemos que é difícil conciliar a doçura de alguém na campanha inicial do namoro e o comportamento quando esse namoro termina. Por algum motivo nas nossas cabeças, os primeiros dias superquentes dizem mais sobre o caráter da pessoa do que o fato dele trair, tomar chá de sumiço, ou ser pura e simplesmente cruel. Muitas de nós se surpreende dizendo: "Mas ele era tão maravilhoso!" É, e as pessoas que viajaram no Titanic pensaram que estavam saindo para um cruzeiro. A verdade é que as coisas mudaram, e é importante lembrar que mudaram. Não importa como você decide reescrever seu passado, eis uma lista de coisas que cancelam automaticamente qualquer bom comportamento prévio. Se o seu ex fez qualquer uma da coisas abaixo, nós a proibimos de inventar desculpas para ele, ou de usar a palavra "maravilhoso" sobre o seu relacionamento. Você tem sorte de estar livre dele, sem "se" e sem "mas".

- **Ele traía você.**
- **Ele humilhava você.**
- **Ele mentia para você.**
- **Ele desaparecia de vez em quando.**
- **Ele sempre dava bolo em você.**
- **Ele tem um CD do Kenny G.**
- **Ele era violento.**
- **Ele a desprezava.**
- **Ele tinha uma namorada.**
- **Ele tinha um namorado.**
- **Ele roubava dinheiro.**
- **Ele odiava a sua família (supondo que você gostasse dela).**
- **Ele berrava com você em público.**
- **Ele era casado com outra pessoa.**
- **Ele achava *Contato de riso* o melhor filme do mundo e não estava sendo irônico.**
- **Ele odiava suas amigas.**
- **Ele transava com suas amigas.**
- **Ele nunca deu valor às suas inúmeras qualidades!**

A MELHOR PIOR NOTÍCIA

A má notícia é que você esteve se iludindo. A boa notícia é que em algum lugar bem lá no fundo você já sabe disso. Tudo bem, nós

todos já fizemos isso pelo menos uma vez na vida. É um mecanismo de sobrevivência. Quem quer admitir "Estou apaixonada por um babaca", ou "Isso simplesmente não está funcionando"? O cara aprontou legal, mas exatamente agora você só consegue se lembrar dos bons momentos. "Mas ele era um cara tão maravilhoso..." Olha, ele pode até ter sido um cara maravilhoso, talvez até o melhor que já existiu na face da Terra, e é exatamente por isso que namorou VOCÊ. Mas ser um cara maravilhoso não quer dizer que era maravilhoso *para você*. Duas pessoas maravilhosas podem se unir e dessa união resultar uma química horrível. A maioria das pessoas que nós namoramos eram pessoas maravilhosas, só que não quando estávamos namorando. O mesmo pode ser dito para nós: nos consideramos maravilhosos, mas podemos encontrar outras pessoas que discordam disso. (Nós não vamos sair do nosso caminho para encontrá-las, mas elas estão por aí.)

Encarar o que o seu relacionamento realmente era, não apenas lembrar ou reescrever as partes boas, mas enfrentar o que realmente acontecia entre vocês dois e reconhecer que o fim do namoro tem sentido de certa forma, esse é talvez o passo mais importante que você pode dar no processo da superação. Além do mais, a quem você está querendo impressionar com as suas revisões? Seus amigos e sua família que já devem saber a verdade de qualquer jeito? Você mesma? Não precisa mentir para si própria, especialmente se você se ama de verdade, pela mulher poderosa que é. Ser honesta com você mesma não pode fazer mal algum, aliás, é o único modo de crescer com essa experiência. Evitar a verdade, além de impedir que você aprenda com os próprios erros, também dá força à crença de que você precisa se enganar para sobreviver. Pare de inventar que você não suporta isso!

Portanto, aproveite essa oportunidade de ouro e caia na real sobre o seu relacionamento e sobre o que realmente aconteceu. É claro que houve bons momentos, senão vocês não teriam ficado juntos esse tempo todo. Mas seja honesta, não foi tudo um mar de rosas. Ele nunca quis apresentá-la à família dele, você teve de fingir orgasmos demais, ele não tinha noção de quem eram T.S. Eliot ou Elliot Smith. Admitir que não era maravilhoso o tempo todo não diminui nada o que foi. Mas ser honesta quanto a isso é libertário. É nesse momento em que você realmente põe as cartas na mesa e vê o relacionamento como de fato foi que você vai descobrir a liberdade de jogar isso para o alto e deixar para lá.

O QUE EU FIZ DE ERRADO

GREG

Definitivamente sofro de Distúrbio Revisionista de Romance. Durante muito tempo depois que me separei, sentia necessidade de dizer para todo mundo que ela era maravilhosa. Não que ela tivesse mesmo sido maravilhosa, era simplesmente terrível às vezes, mas admitir isso significava também ser obrigado a admitir que eu tinha sido cego, fraco e propenso a aceitar o tratamento não tão maravilhoso que me dispensava. Por isso eu usava uma versão do início do relacionamento, na qual ela era maravilhosa em quase tudo. Devo até ter inventado qualidades que ela não tinha ou, mais especificamente, qualidades que eu não consegui extrair dela. Eu menti consciente e deliberadamente para mim mesmo para continuar sofrendo, porque admitir a verdade fazia com que me sentisse burro. Não é maluquice? Parece maluquice quando vejo isso escrito no papel, mas agi assim mesmo. Por isso compreendo quando acontece, mas certamente teria poupado muito tempo e sofrimento se me concentrasse diretamente no fato de que não dávamos certo juntos. Quando eu decidi deixar de ser aquele cara chato e triste e coloquei em prática um programa de sinceridade rigorosa, passei a ver o relacionamento como realmente aconteceu. Consegui ficar furioso com ela, ao mesmo tempo fui brutalmente honesto em relação ao fato de que eu também não era nenhuma flor que se cheirasse, e ainda por cima que eu permaneci naquele jogo. De repente não estava mais furioso com ela, ou comigo. Éramos apenas duas pessoas num relacionamento equivocado. Mas, aqui vai a outra parte. Ela é uma pessoa maravilhosa. Tem muitas daquelas qualidades que desejei que tivesse quando estava comigo. Nós simplesmente não alimentamos essas qualidades um no outro. Por isso a coisa toda não funcionou, e tudo bem. Na verdade, a minha mulher está muito satisfeita com isso.

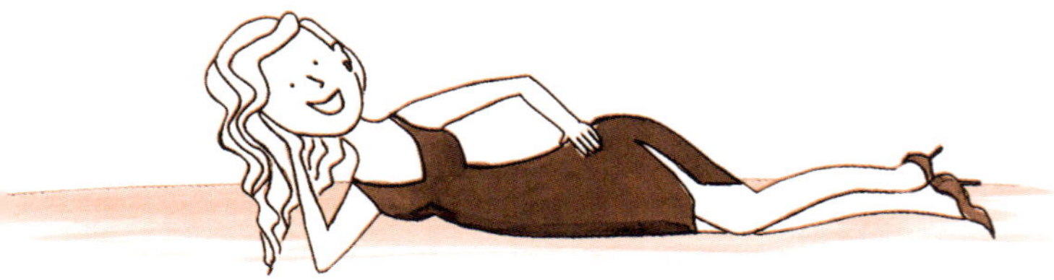

COMO SUPEREI ISSO

AMIIRA

Reescrever uma história romântica e relembrar uma história romântica são dois lados da mesma moeda. Uma vez fui atingida por um raio. Foi a primeira vez que pus os olhos no homem que se tornaria meu primeiro marido. Foi aquela coisa de profundo amor à primeira vista que ouvimos falar e pensamos que nunca acontecerá conosco. Fiquei completamente abalada, física, química, emocional e espiritualmente. Depois que o conheci, liguei para a minha melhor amiga e disse: "Acabei de conhecer o homem com quem vou me casar." Verdade. Digo isso porque foi aquele momento, diferente de tudo que havia vivenciado antes ou a partir daí, aquela sensação de certeza absoluta, que manteve a minha crença e minha capacidade de luta por um relacionamento que obviamente não era bom. Os sinais de alarme estavam todos lá, desde o princípio, mas não eram páreo para a onda daquele novo amor/tesão/esperança/convicção. Até mesmo o fato de ele jamais ter tido um relacionamento que não se sobrepusesse ao anterior (inclusive quando começou a namorar comigo) ficou eclipsado pela minha crença absoluta de que era o homem perfeito para mim.

Essa minha fé inabalável de que éramos feitos um para o outro me fez insistir num relacionamento que só tinha consistência na sua inconsistência. Mas continuei porque ele era o cara mais maravilhoso que eu conhecia (exceto quando não era) e nunca tive mais certeza de nada em toda a minha vida como tive dele naquele primeiro momento em que o conheci. E foi a lembrança dessa certeza que me paralisou. Aquilo ficou escrito anos bem embaixo do meu nariz, mas eu não conseguia ver, ou preferia não acreditar. Tudo o que eu via era quando as coisas eram maravilhosas, como nos divertíamos juntos, e como ele *tinha sido* maravilhoso. Não me entenda mal, ele era e ainda deve ser maravilhoso. Espero em Deus que seja tão maravilhoso quanto eu pensava e quanto lembro que foi. Mas ele não era maravilhoso como meu marido. Mesmo quando as coisas andavam bem, eu arrastava o tempo todo uma sensação de desgraça iminente. No meu subconsciente, acho que sabia que não ia funcionar, até meu corpo sabia disso, só que eu era incapaz de admitir isso para mim mesma. Uma vez confessei essa sensação de desgraça para um bom amigo que acompanhava nossos altos e baixos e conhecia o meu "cara maravilhoso" melhor do que a maioria. Ele me deu um conselho brilhante que foi mais ou menos assim: "Paixão (ou tesão) e medo são sentimentos muito parecidos. Os dois provocam aquela sensação de ansiedade como borboletas no estômago, uma excitação e uma certa insegurança generalizada, física e mental. É fácil confundir paixão com medo."

Eu não podia acreditar no que estava ouvindo, e não queria acreditar mesmo. Ele estava certo, e eu fui uma idiota. Desde o início do nosso namoro (quando ele tinha uma namorada mas eu já estava apaixonada por ele), até o fim do nosso casamento quando eu ainda me agarrava à lembrança do passado (apesar de ter quase certeza de que ele tinha outra mulher nessa época também), rebatizei todo o medo como amor. Foi ruminando aquelas palavras de aconselhamento que resolvi fazer um bom exame no meu relacionamento, demorado e muito realista e enxergar o que aquilo realmente era... cheio de defeitos e quase acabado. Foi então que consegui seguir em frente.

IDÉIA IMPRESSIONANTE

O cara certo está por aí agora mesmo, imaginando onde vai encontrar alguém como você.

PESSOA DEPRÊ

CADERNO DE EXERCÍCIOS DIÁRIOS E, ÀS VEZES, LIVRO DE RECEITAS

Hora de cair na real nessa história de "Ele é maravilhoso"! Você vai ter de chamar uma das pessoas em quem mais confia para fazer esse exercício. Chame sua melhor amiga/confidente (ou, melhor ainda, chame-a para um lanche) e peça para ela dar a versão real das afirmações abaixo. (Pode acrescentar outras que tenham a ver com o seu relacionamento.) NÃO fique furiosa com ela se disser alguma coisa difícil de ser ouvida – ela ama você e a função dela é ajudá-la a ser violentamente sincera com você mesma para poder superar seu DRR e seguir em frente! Vamos dar a largada com algumas:

Afirmação: **Nós adorávamos ficar juntos.**
Realidade: **Desde que não houvesse outra coisa na TV.**

Afirmação: **Nós nunca discordamos de nada.**
Realidade: **Claro, se eu admitisse estar errada o tempo todo.**

Afirmação: **Nós tínhamos tanta coisa em comum.**
Realidade:

Afirmação: **O sexo era ótimo.**
Realidade:

Afirmação: **Ele era igualzinho ao Orlando Bloom.**
Realidade:

Afirmação: Ele era muito legal com os meus amigos e amigas.
Realidade:

Afirmação: Ele era inteligente, engraçado e tinha ótimo gosto para música.
Realidade:

Afirmação: Nem me lembro por que terminamos.
Realidade:

Afirmação: Nós dois queríamos ter filhos, cães e uma minivan.
Realidade:

Afirmação: Nunca brigamos por nada.
Realidade:

Afirmação: Ele sempre fazia pequenas coisas para mostrar que me amava.
Realidade:

Afirmação: Ele nunca mentiu, nunca me traiu e nunca me humilhou ou constrangeu.
Realidade:

Muito bem! Agora que você e sua melhor amiga já completaram essa tarefa, é hora de comer! Bata seu "Maravilhoso" suflê de ovos e depois curta a fabulosa cozinheira que você é, além de suas outras espantosas qualidades.

“Maravilhoso” suflê de ovos

1 xícara de queijo tipo cheddar ou prato ralado

1/2 xícara de coração de alcachofra picado (opcional)

6 ovos

1 xícara de creme de leite ou iogurte natural

Como num omelete, você pode adaptar esse prato ao seu gosto, com qualquer combinação de legumes ou carnes picadas.

Pré-aqueça o forno a 180°C. Unte com manteiga uma pequena assadeira (ou caçarola, se você for antiquada). Ponha uma camada de queijo ralado primeiro, depois legumes (ou carnes) no fundo da assadeira. Bata os ovos e o creme juntos na batedeira ou, vigorosamente, à mão. Derrame sobre as camadas de queijo e legumes. Asse por 30 minutos ou até o palito sair limpo. Delícia!

*Você pode dobrar essa receita usando uma assadeira maior e assando por mais 10 minutos.

CONFESSIONÁRIO PSICÓTICO

Meu namorado era o cara mais maravilhoso do mundo. Duas vezes por semana ele trabalhava como árbitro voluntário nos jogos da Liga Infantil da nossa comunidade. Eu nunca gostei de beisebol, mas, como tinha muito orgulho do que ele fazia, resolvi ir assistir a um dos jogos para manifestar meu apoio. Então, uma tarde fui para o campo da Liga Infantil e fiquei sabendo que ninguém ali tinha ouvido falar dele na vida, e que ele nunca trabalhara como voluntário para eles. Fiquei pasma, por isso liguei para a namorada do melhor amigo dele e insisti para obter informações sobre a situação. Acontece que ele estava passando as tardes de sábado com a garota que trabalhava na loja de iogurte congelado que nós freqüentávamos! Fiquei enfurecida. Peguei todas as coisas dele que estavam na minha casa, inclusive as roupas que tinham sido presente meu, cortei tudo em pedacinhos minúsculos e joguei num saco de lixo. Depois, peguei meu carro, fui até a casa dele e atirei o saco na cabeça dele, na frente da "namorada" de fim de semana. Que cara maravilhoso!

Anônima
Charleston, SC

TOMADA INTERNA – LUGAR CONHECIDO – MANHÃ

Close-up em Jack

Jack vira para a câmera com cara de espanto.

JACK: *Ah... oi, Cathy, você me pegou de surpresa.*

CATHY: *Ah é? Desculpe-me. Você não devia ficar surpreso com o fato desse lugar ser um dos meus favoritos também.*

JACK: *Não, acho que tem razão. Eu só pensei que você não viria aqui depois que terminamos.*

CATHY: *Acho que eu podia dizer a mesma coisa sobre você. Isto é, afinal de contas, são as nossas lembranças, são os nossos momentos...*

JACK: *É, mas aqui é o meu chuveiro.*

Capítulo Sete

IMAGINA SÓ, ENCONTRAR VOCÊ AQUI!

(ou, A arte da coincidência premeditada)

Nós todos dominamos a arte da coincidência premeditada e, neste momento, isso deve estar parecendo bastante tentador. Mas acredite quando dizemos que você não vai gostar nada do que acontece quando "esbarrar com ele por engano". O mais provável é que ele não diga de repente: "Oh, meu Deus, esqueci completamente que estou perdidamente apaixonado por você! Que sorte termos nos encontrado aqui na frente do meu escritório." Por mais sexy que você esteja. Na verdade, há mais chance dele estar com a namorada nova ou, pior, com a ex-namorada. Ele seguiu em frente, e você precisa fazer isso também.

Nós sabemos que na versão cinematográfica da sua vida você esbarra com ele mais linda do que a Angelina Jolie de biquíni, e ele, então, se atormenta por ter sido um idiota de tê-la perdido e inventa um plano elaborado para reconquistá-la que inclui um pára-quedas. Nós entendemos e concordamos que isso devia acontecer... e até já vimos acontecer... NO CINEMA E NA TELEVISÃO! A vida real não é assim. Se você freqüenta o bairro dele, o café, a portaria do prédio onde ele mora com a esperança de "dar de cara com ele", ele não vai ficar surpreso de vê-la, apenas arrependido de não ter escolhido o caminho mais comprido para o trabalho. E você deixará de ser apenas a ex para ser a "perseguidora psicótica".

A verdade nua e crua é a seguinte: ele não quer esbarrar em você, por mais linda e atraente que você esteja nesses dias. Nenhum cara diz "Nossa, ela não me deixa em paz, e está tão sexy!" A maioria das pessoas não gosta de confrontos e não vamos estereotipar essa afirmação acrescentando "especialmente os homens", mas encaremos os fatos... especialmente os homens. Por isso, mesmo que você invente brilhantemente o encontro numa coincidência perfeita, nove em dez ocasiões não vai funcionar do jeito que você quer. O mais provável é que você sinta uma gama enorme de emoções ligadas à decepção, em vez da satisfação que tanto quer. Então, pare de inventar maneiras de vocês dois se cruzarem por aí. Se dedicasse o mesmo esforço de raciocínio para superar esse fim de relacionamento, ou para conhecer alguém novo, já teria superado tudo, a essa altura. Os arrependimentos dele, ou a falta deles, são exatamente isso... *dele*. E isso é uma coisa que nem mesmo o melhor pretinho básico pode modificar.

MAS GREG, QUERO FAZER UMAS PERGUNTAS

E SE NÓS CONTINUAMOS FREQÜENTANDO OS MESMOS LUGARES?

Querido Greg,

Meu namorado e eu costumávamos nos encontrar a caminho do trabalho, num pequeno café que também freqüentávamos nos fins de semana. É um lugar perto da casa dele, que ele já freqüentava antes de começarmos a namorar, mas eu gosto muito mais de café do que ele, por isso resolvi que eu ficaria com o café quando nos separamos. Se ele não quiser me ver, terá de encontrar outro lugar, ou escolher as horas em que sabe que não vou estar lá. Isso não conta como subterfúgio para dar de cara com ele, não é?

Sarah

Querida Movida a Cafeína,

Vou dizer uma coisa: você me diz o nome desse lugar, encontro você lá e podemos ficar bem cafeinados e perseguir seu namorado juntos. Porque ninguém, inclusive você, pensa que continua indo lá por causa do café. Então, para responder à sua pergunta, sim, eu acho que você está querendo encontrá-lo. Olha, eu conheço a emoção que a ótima xícara de café do Joe provoca, mas também conheço o sofrimento que é planejar pequenos encontros "por acaso" e deixar que eles continuem a partir seu coração. Tive uma grande idéia: por que você não cria um novo relacionamento com uma nova cafeteria? Assim como o seu ex, esse café não é o único da cidade, nem tem o único café com leite que você vai adorar na sua vida. Lembre-se de que os fins de relacionamento nos dão a oportunidade de reprojetar a vida. Por isso, vamos começar pelo lugar onde toma seu café.

MAS E SE NÓS TRABALHAMOS JUNTOS?

Querido Greg,

Trabalho na mesma empresa que o meu ex mas em cantos opostos do andar onde ficam nossas salas. Sou obrigada a vê-lo todos os dias, nem morta vou deixar de me maquiar toda para ir aos lugares comuns, como a cozinha, nem vou deixar de usar uma roupa especialmente sensual se tiver de ir a alguma reunião em que ele vai estar. Não me esforço para esbarrar nele (e poderia fazer isso com muita facilidade, já que sei onde ele fica o dia inteiro), mas gosto de deixá-lo louco, mostrando o que está perdendo. Algumas roupinhas incrementadas que dizem "estou c#*#ndo e andando prá você" para ele ficar aflito não fazem mal algum, certo?

Josie

Querida Josie Gatinha,

Sou muito a favor de você ir trabalhar (bravo!) e de ir toda arrumada e linda. Mas devia estar fazendo isso por você mesma. A questão é que, mesmo que fosse trabalhar vestida com um saco, ele já sabe o que está perdendo e mesmo assim resolveu seguir a vida sem você. Ele perdeu. Mas o negócio é o seguinte: eu me preocupo porque quando a sua sensualidade não fizer seu ex mudar de idéia, você vai deixar de ser sensual para você mesma e, de repente, seu trabalho e sua autoconfiança vão sofrer. Vista-se bem porque isso a faz sentir-se ótima, e você sabe que vale tudo isso! Vista-se bem porque sabe que por aí tem alguém melhor, que vai notar você também.

MAS O QUE HÁ DE ERRADO EM MOSTRAR PARA ELE O QUE ELE ESTÁ PERDENDO?

Querido Greg,

Desde que o meu ex me trocou por uma garota mais magra, ando malhando que nem doida. Perdi quase dez quilos e estou mais em forma do que jamais estive em toda a minha vida. Além disso, pintei meu cabelo de louro e comprei um guarda-roupa novo. Meu plano de vingança sempre foi aparecer no bar onde ele passa suas noites de "clube do bolinha" mais atraente do que nunca e paquerar um de seus melhores amigos bem na cara dele. Fiz um esforço enorme para ficar em forma desse jeito e acho que mereço a satisfação de vê-lo questionando a decisão de ter me dado o fora por causa de alguns quilinhos. E agora você vem me dizer que não devo fazer isso?

Sienna

Querida A Nova Você,

Você não está só malhando que nem uma doida... você é uma doida. E, quanto a paquerar um dos melhores amigos dele, realmente não existe maneira melhor de alimentar a sua auto-estima do que essa, constranger uma terceira pessoa inocente, que não tem nada com isso! Parece que você se esmerou demais mesmo para se reinventar. Isso seria ótimo se tivesse feito pelos motivos corretos, isto é, por você e não como parte de uma armação de vingança. Você precisa entender que ele não deu o fora em você por causa do seu peso. Ele deu o fora em você porque queria namorar outra. Agora, se ele usou o seu peso como desculpa quando terminou o namoro de vocês, então ele é mesmo nojento e merece alguém tão nojento quanto ele. (Que nós dois sabemos que não é você!) No entanto, se foi *você* que resolveu que o seu peso foi o motivo para ele deixá-la, isso já é outra história. Talvez seja mais fácil para sua dor-de-cotovelo jogar a culpa no peso, mas a verdade é que ele não é o cara certo para você. Você pode ter perdido dez quilos e ter modificado a sua aparência, mas continua sendo a mesma pessoa que era antes da sua transformação física, magoada e furiosa por dentro. Seja qual for a situação, deixe isso para lá e comece a se transformar por dentro, para combinar com a transformação externa. Esforce-se para construir sua autoconfiança. Você é o máximo com qualquer peso, e qualquer um que a faça sentir algo diferente disso é um palhaço (inclusive você mesma!).

MAS E SE EU QUISER DAR UMA LIÇÃO PARA ELE?

Querido Greg,

Vi o meu ex com sua nova namorada no shopping algumas semanas atrás. Ocorre que ela trabalha lá e ele tinha ido visitá-la no trabalho, que, por acaso, é numa loja em que às vezes compro. Bem, agora que sei quem ela é e onde trabalha, não consigo mais deixar de passar lá. Cheguei até a conversar com ela numa boa algumas vezes, sobre NAMORADOS, nada mais, nada menos, esperando obter alguma informação sobre a seriedade do caso deles. Sei que não devia fazer isso, mas realmente não consigo me controlar. Espero que algum dia ele apareça enquanto eu estiver comprando alguma coisa lá com ela, e a coisa toda estoure na cara dele. Isso me torna psicótica ou apenas inteligente?

Mikaela

Querida Tudo Vai Estourar no seu Rostinho Lindo,

Isso não transforma você em nenhuma das duas coisas, mas me deixa triste de pensar que está desperdiçando seu tempo tentando provocar uma versão dor-de-cotovelo de um programa de pegadinhas fajuto. Além de seu ex e a atual namorada pensarem que você é maluca, o gerente da loja também vai achar a mesma coisa, e vai proibi-la de entrar lá de novo. Eu entendi, sei como essa versão é maravilhosa na sua cabeça mas, infelizmente, as outras pessoas envolvidas não estão nem aí para que o roteiro seja igual ao que você pensa que vai ser, e perder seu tempo nessa encenação só pode atrasar a sua retomada dos eixos da sua vida. Em vez disso, sele um pacto com você mesma, de que não se liga em armações, e encontre um passatempo mais saudável. Ah, e o cara com quem você devia estar saindo está numa loja melhor, do outro lado do shopping.

A MELHOR PIOR NOTÍCIA

A melhor pior notícia é que você sabe onde ele está neste momento porque costumava sair com ele. Na manhã de sábado, ele passa na lavanderia antes do jogo de basquete e, de segunda a sexta, toma café às quinze para as nove no Starbucks, na esquina da Quinta Avenida com a Union. A parte ruim é que talvez você tenha de lutar contra a tentação de esbarrar nele "por acaso". A parte boa disso é que você pode facilmente manter-se longe dos lugares-chave porque deseja evitar mais sofrimento e porque não é a maluca psicótica que fica seguindo o cara. Certo? Mesmo se você fosse uma mosquinha não obteria a satisfação que está procurando. E ser a ex-namorada doida que está sempre "brotando", ou se escondendo atrás dos arbustos, só vai desgastar mais uma camada do seu respeito próprio. Toda vez que o vir só estará ficando mais vulnerável a mais sofrimento e mágoa. Você realmente precisa de mais alguma prova de que ele está levando a vida dele sem você?

Ei, amiga, se tem a intenção de perseguir o seu ex, então no mínimo está se sentindo melhor, se vestindo melhor e saindo de casa. Não vamos desperdiçar isso com alguém que já era. Concentre-se em você, por você. Querer que alguém se arrependa por ter perdido você não é motivo válido para persegui-lo. O arrependimento dele pode ser a azeitona da empada, mas a sua motivação para se aprimorar precisa ser, e *deve* ser, sempre VOCÊ MESMA. Senão vai correr o risco de perder esse impulso se as coisas derem errado em relação ao que você planejou na sua fantasia de vingança. Não nos entenda mal, o que quer que a estimule a ficar melhor ainda, nós aplaudimos... mas vamos aplaudir de pé se for a motivação certa.

O QUE EU FIZ DE ERRADO

GREG

O resultado de não beber foi que emagreci quase imediatamente, mesmo detonando meio litro de sorvete caseiro toda noite. Fazia isso para satisfazer a necessidade de açúcar que a abstinência do álcool provoca. Mesmo assim, perdi quinze quilos em cinco meses. A minha pele ficou limpa e a minha disposição mais aguçada. Comecei a fazer exercícios, comecei a ler e comecei a viver. Mas sempre, lá no fundo da minha cabeça, eu sabia que estava fazendo isso por ela. "Quando me vir, ela vai estremecer. Não vai acreditar no que está perdendo." Minha vida começou a assumir uma forma. A banda na qual eu tocava se desfez, depois eles formaram outra, sem mim (o que é bem revelador), mas isso fez com que me concentrasse nos meus números humorísticos. Escrevi um monólogo cômico inteiro sobre o tipo de cara que eu estava tentando ser, e o tipo de cara que eu realmente era. O nome era *Mantastic*, e acabou se tornando um especial da HBO. Aí você pensa, então, quem precisa dela? E teria razão. Só que eu ainda inventava motivos para encontrá-la: festas nas quais eu sabia que ela ia estar, eventos que tinha certeza de que ela participaria, shows de bandas que sabia que ela gostava. Quando a encontrava "por acaso" num desses programas, era sempre a mesma coisa: "Oi, Greg, você está ótimo! Já conhece meu namorado, não é?" Eu fazia tudo isso com a esperança de mexer com ela, e, no fim das contas, ela simplesmente não dava a mínima. Pelo menos, não do jeito que eu queria. Então pensei uma coisa. "Eu devia fazer isso por alguém que realmente se importa." Dá para adivinhar quem é? Acertou. Eu.

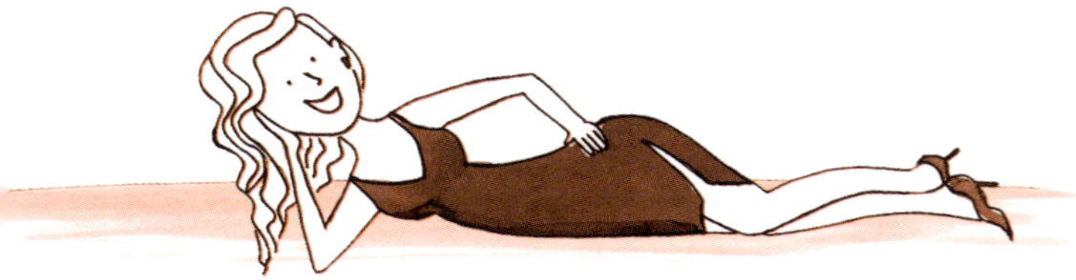

COMO SUPEREI ISSO

AMIIRA

Depois que meu ex e eu terminamos, não pudemos deixar de nos encontrar. Ele mudou para um apartamento a dois quarteirões de distância do meu, o que, na cidade de Nova York, significa que estávamos fadados a esbarrar um no outro, porque as pessoas andam por toda parte e há um verdadeiro sentido de vida de bairro. Nenhum de nós queria trocar de pizzaria preferida, de local favorito para tomar café da manhã, nem nossos caixas eletrônicos. No início estava tudo bem, porque nos falávamos e até íamos tentar ser amigos. MAS... depois que eu soube que ele estava saindo com outra e que havia uma chance de esbarrar com ele e sua nova companheira, não consegui mais pensar em outra coisa. Como morávamos no mesmo bairro, pegávamos a mesma estação de metrô para ir trabalhar, e trabalhávamos no mesmo ramo (o que exigia a minha presença em lugares onde ele também estava algumas vezes por semana), eu só ficava pensando em qual roupa realmente faria com que ele se arrependesse de ter me perdido. Tínhamos os mesmos amigos e eu ia sempre correr o risco de saber demais sobre a nova vida dele, e de ficar magoada com os novos detalhes que poderiam vir à tona. Além do mais, enquanto ainda tivéssemos negócios juntos (no nosso caso, dinheiro e os acertos de um divórcio amigável), sempre teria uma desculpa para procurá-lo e abrir a porta para o passado. Não havia como encerrar aquilo na minha cabeça, era como cumprir uma sentença na prisão. O que ele está fazendo? Em que ele está pensando? Ele ainda me ama? Ele a ama mais que a mim? Será que ele está pensando que cometeu um erro? Nada disso importava, porque a verdade nua e crua era que ele não me amava o suficiente para querer ficar comigo. Levei algum tempo, mas acabei entendendo que tinha de me separar fisicamente de todas as coisas que me mantinham presa dentro da minha mente obsessiva. Por isso despertei uma manhã e senti cheiro de café, e o cheiro era muito parecido com uma voz dizendo "Ei! Acabou. Ele foi viver a vida dele. Por que está fazendo isso com você mesma? Porque não é ele que está fazendo isso com você – ele está muito feliz na sua nova vida, com sua nova namorada (que logo seria noiva e depois esposa) e nem lembra de você". Olhei bem para a minha situação e resolvi que tinha de seguir a vida – e isso significava sair do mundo dele de uma vez por todas. Por isso fui falar com o meu chefe, pedi para ser transferida para a filial de Los Angeles e me mudei para o oeste uns dois meses depois.

IDÉIA IMPRESSIONANTE

Seu novo namorado não está parado na frente do apartamento do seu ex-namorado, por isso, você também não devia estar.

PESSOA DEPRÊ

CADERNO DE EXERCÍCIOS DIÁRIOS E,

ÀS VEZES, LIVRO DE RECEITAS

Enumere dez lugares em que poderia encontrar seu ex.

1. ____________________
2. ____________________
3. ____________________
4. ____________________
5. ____________________
6. ____________________
7. ____________________
8. ____________________
9. ____________________
10. ____________________

Agora enumere dez lugares aos quais vai se obrigar a ir, em vez dos dez primeiros.

1. ____________________
2. ____________________
3. ____________________
4. ____________________
5. ____________________
6. ____________________
7. ____________________
8. ____________________
9. ____________________
10. ____________________

CONFESSIONÁRIO PSICÓTICO

Encontrei meu ex com a namorada dele no shopping, e eu estava um desastre completo. Simplesmente pavorosa, blusão de moletom manchado, um horror. Fiquei apavorada e resolvi que aquela não podia ser a última lembrança que ele teria de mim. Por isso bolei um plano: tínhamos morado juntos um breve tempo, então fui até uma agência de correio numa cidade próxima e enviei para o meu endereço uma encomenda para ele. Telefonei para ele e deixei um recado na secretária eletrônica dizendo que tinha recebido o que parecia uma encomenda importante para ele, mas que se ele não fosse lá pegar eu jogaria no lixo. Ele marcou hora para pegar o pacote e eu marquei hora para fazer uma escova, manicure e pedicure. Digamos apenas que eu fiquei LIIIIINDA!!! E editei a "lembrança" dele.

Anônima
Honolulu, HI

TOMADA INTERNA – CONSULTÓRIO DO TERAPEUTA – DIA

CLOSE-UP EM LAYLA

Layla, trinta e poucos anos, desconsolada, dá para ver que está deitada.

LAYLA: *Eu ainda não entendi por que ele fez isso, e estou enlouquecendo. O que você acha que ele está pensando?*

TERAPEUTA (VOZ EM OFF): *Bem, parece que ele estava insatisfeito com o relacionamento.*

LAYLA: *Ele parecia satisfeito. Se você nos visse juntos, teria dito que éramos felizes.*

TERAPEUTA (V.O.): *Às vezes as pessoas simplesmente mudam de idéia e não há nada que possamos fazer.*

LAYLA: *Se ao menos eu soubesse por que...*

TERAPEUTA (V.O.): *Talvez nunca venha a saber.*

LAYLA: *Você acha que ele está apaixonado por outra?*

TERAPEUTA (V.O.): *Isso eu não posso responder.*

LAYLA: *Você acha que ele está sofrendo como eu?*

A câmera recua e revela que Layla está recebendo uma massagem.

TERAPEUTA: *Querida, eu não sou esse tipo de terapeuta.*

Capítulo Oito

O QUE ELE ESTÁ PENSANDO?

A essa altura, você já sabe que nós vamos dizer: QUEM SE IMPORTA?! Mas, para aquelas que estão simplesmente *morrendo* de vontade de saber coisas como: ele está tão deprimido como você? Sente saudade de você? O que ele está fazendo? Com quem ele está fazendo? Que roupa está usando? Ele quer voltar para você? O que os amigos dizem para ele? Ele voltou para a ex? Esses são os pensamentos que a perseguem quando você não consegue dormir, não consegue trabalhar, quando cai de sono no trabalho e quando se esforça para não dormir. Nós compreendemos que, antes de poder superar isso completamente, você talvez precise curtir um pouco essa fase de pensar obsessivamente "o que ele está fazendo?".

É isso que você quer ouvir: "O único motivo para ele não ter procurado você é que a tristeza debilitante deixou-o prostrado no chão do apartamento dele, encolhido numa caixa de pizza cheia de lágrimas. A única atividade dele tem sido planejar febrilmente um meio de reconquistar o seu coração. Está na mais completa abstinência de mulheres (exceto você), bebida e diversão, porque nada tem graça sem a sua presença. Ele nunca mais vai sorrir, ou dar risada." A única coisa que é verdade neste parágrafo é que nada tem graça sem você. Mas mesmo isso não é verdade para ele, porque ele está vivendo a vida dele.

Sabemos que você quer que ele sofra por você e que não consiga mais viver um dia em paz. Num mundo perfeito, ele está se atormentando, pensando como pôde cometer um erro desses, lembrando-se de todos os bons momentos que vocês tiveram juntos. Mal consegue se alimentar e chegar na hora no trabalho, e não poderia absolutamente estar cultivando a idéia de sair, de encontrar alguém. Ele devia estar de luto também, certo?

Mas aqui vai a caca completa. Se foi ele que terminou, a dor é recente, terrível, e às vezes insuportável. Acabaram de puxar o seu tapete e o mundo virou de cabeça para baixo. Todos os planos que você tinha desmoronaram. Fim. De repente. Mas a parte ainda pior é que o cara que deu o fora em você tomou uma imensa dianteira no processo de cura do fim do relacionamento. O tempo que ele ficou pensando em terminar tudo é o mesmo tempo que esteve se afastando emocionalmente de você. Por isso, enquanto as suas feridas são recentes e estão bem abertas, o seu ex tem a vantagem de, além de estar na posição de comando, também ter tido a chance de se desligar emocionalmente, enquanto você precisou fazer isso de uma hora para outra. É uma realidade dura, mas a verdade é que ele já tinha superado isso parcialmente, ou até mesmo completamente, antes mesmo de você saber que ia acontecer. E se foi você que provocou o rompimento, então tem uma boa idéia do que ele deve estar passando agora. É, terminar um relacionamento amoroso com alguém é horrível. É, você se sente muito mal de ter de ferir os sentimentos de alguém. Mas o fato é que depois de superar a sensação de culpa inicial, o sentimento predominante é de alívio. Por isso, se você realmente quer saber o que ele está pensando, deve ser mais ou menos isso: ele se sente mal por ter magoado você, sente sua falta de vez em quando e até chega a pensar em ligar para você, mas, acima de tudo, ele se sente aliviado porque o relacionamento acabou.

MAS GREG, QUERO FAZER UMAS PERGUNTAS

E SE ELE NÃO SE DER CONTA DO ERRO QUE ESTÁ COMETENDO?

Querido Greg,

Não há como meu ex-namorado encontrar alguém melhor do que eu. Ele até admitiu isso quando terminou comigo. Estamos separados há seis semanas e estou quase enlouquecendo. Se ele já sabe que ninguém vai amá-lo como eu, o que é que está fazendo?

Haley

Querida Melhor Coisa,

Ele está partindo para outra, bonitinha, só que a outra não é o celibato. Pode até ser verdade que ele não encontrará alguém melhor do que você, mas também é verdade que ele deve ter dito isso para você não se sentir tão mal com a partida iminente dele. Nós fazemos isso às vezes. Declarações como "Nunca mais vou encontrar alguém melhor" na verdade significam "Ainda acho que você é maravilhosa, mas quero sair dessa, por isso, por favor, não chore. Estou indo". Ouça, poderosa, apesar dessa declaração, está me parecendo que ele resolveu mesmo partir para outra com tudo, então sugerimos que você faça a mesma coisa e parta em busca do novo cara maravilhoso.

MAS E SE ELE ESTIVER SIMPLESMENTE SABOTANDO ELE MESMO?

Querido Greg,

Meu ex-namorado e eu moramos juntos quase três anos e namoramos ao todo cinco anos. Alguns meses atrás ficamos noivos e começamos a planejar o casamento. Tínhamos o relacionamento mais apaixonado que você pode imaginar e éramos invejados por todos os nossos amigos solteiros. Se algum dia já existiram duas pessoas feitas uma para a outra, essas pessoas éramos nós. Então você pode imaginar como fiquei arrasada quando, sem mais nem menos, ele disse que estava vendo outra mulher. É claro que rompi o noivado e dei um fora nele, mas acho mesmo que ele só surtou com a idéia de casar, e a outra mulher era apenas uma forma de sabotar as coisas. Ele está com ela agora, mas sei que não a ama, então o que é que ele está pensando?

Colette

Querida Noiva,

Para começo de conversa, ele não estava "vendo" outra mulher – ele estava indo para a cama com outra mulher. Eu "vejo" mulheres o tempo todo. Nós que temos olhos costumamos fazer isso, mas não é motivo para terminar relacionamento nenhum. Veja o que eu estou pensando. Os atos falam mais alto do que as palavras, e os atos dele fizeram com que acabasse pelado com outra mulher. Se o cara vai para a cama com outra toda vez que "surtar", você estará melhor de vida se não embarcar numa vida inteira de dor-de-cotovelo e possíveis DSTs.

Infelizmente ele já deu a resposta que você queria, por isso abra os olhos para o que realmente está acontecendo, calce seu tênis de corrida e corra na direção oposta. Lembre que quando termina é porque acabou em algum nível, mesmo que você não saiba.

SERÁ QUE ALGUM DIA VOU PARAR DE PENSAR NELE?

Querido Greg,

Se eu pudesse superar isso, era o que eu faria. Acredite, não gosto de ficar presa nesse purgatório da minha mente obsessiva. Fiz tudo direito. Dediquei-me ao trabalho e às minhas amigas, saí de casa, tentei paquerar outros caras, entrei para uma academia, e fiz mais um monte de coisas para me manter ocupada. Mas nada disso tem importância, porque só consigo pensar o tempo todo no que ele está fazendo, onde ele está, com quem ele está, como ele está. Eu me forço, literalmente, a viver a minha vida e fico sempre pensando que vou melhorar, mas estou enlouquecendo. Será que vai chegar um dia em que eu realmente vou parar de imaginar em que ele está pensando?

Victoria

Querida Supermoça,

Nenhum aplauso será demais para a sua iniciativa de fazer todas essas coisas. Neste momento estou em cima de uma cadeira do meu escritório para aplaudi-la demoradamente, de pé. Juro que isso melhora com o tempo, mas o que é chato do tempo é que leva tempo. Nesse meio tempo, procure estabelecer objetivos emocionais realistas para você mesma. Tente acertar para sentir que está "diferente", em vez de "sensacional", ou "menos deprimida", em vez de "completamente boa", e depois veja se não sente sua capacidade estimulada para atingir esses objetivos. Quando aceitar que é um processo lento, ficará surpresa com a rapidez da cura. E sim, aquele momento mágico virá quando nem passar pela sua cabeça pensar nele, menos ainda querer saber em que ele está pensando. Se você realmente não conseguir se adaptar à velocidade com que as coisas estão acontecendo, aconselho a buscar ajuda profissional. Posso dizer com certeza que isso acelerou a minha recuperação, e que foi bom conversar com alguém que estudou muito para aprender a me ajudar a superar os piores momentos.

MAS TALVEZ ELE MUDE DE IDÉIA.

Querido Greg,

Meu namorado e eu nos amamos muito, mas queremos coisas diferentes da vida (eu quero ter filhos e ele não), por isso resolvemos terminar. Nós nos separamos em termos amigáveis, a decisão foi dos dois, mas é muito duro quando o problema não é falta de amor ou de comprometimento. Ainda o amo e ele me ama, mas nenhum dos dois está disposto a ceder nesse assunto de filhos. Tinha certeza de que quando terminássemos o namoro ele ia perceber que não suportava ficar sem mim e mudaria de idéia sobre os filhos assim que provasse a vida sozinho. Odeio estar separada dele, mas quero mesmo ter filhos (com ele) e sinto que, se não for firme nisso, vou me arrepender para sempre. Isso deve ser uma tortura para o meu ex-namorado, da mesma forma que é para mim, você não acha?

Samantha

Querida Sammy,

Você tem razão. É mesmo o fim da picada quando um relacionamento termina e não é por falta de amor ou de comprometimento. Mas a verdade, e é claro que você já sabe disso, é que querer as mesmas coisas na vida é tão importante para a sobrevivência do relacionamento quanto esse amor e comprometimento. Ter filhos é uma questão crucial e uma decisão muito pessoal. Não é como se o debate aqui fosse "qual a cor do edredom que vamos comprar?". Eu sou pai, e devo dizer que, para mim, ter filhos é a melhor coisa do mundo, e que ficaria cheio de remorso se não tivesse seguido esse caminho que me proporcionou a oportunidade de ter essa experiência. Isso sou eu. Mas se você sente que quer isso da vida, então deve dar ouvidos a essa voz, porque ela só vai ficar mais forte. Quanto a ele, talvez esteja se torturando por causa disso também, mas obviamente está ouvindo o bater do próprio tambor, e esse tambor não está tocando a música "Vamos fazer bebês". É melhor você encarar isso de frente, agora, e agradecer o fato de ter encontrado esse obstáculo mais cedo, e não mais tarde. Existem homens por aí que querem ter filhos, por isso fique firme e siga em frente com seu coração torturado.

MAS COMO ELE PODE IR EMBORA COM TANTA FACILIDADE?

Querido Greg,

Michael e eu nos conhecemos na faculdade e nos apaixonamos rápido. Depois de formados, nós nos mudamos para Denver, onde ele arrumou um emprego em medicina esportiva, e dois anos depois nos casamos. Pensei que estávamos indo muito bem, mas, de repente, no outono passado, ele resolveu que não queria mais ficar casado comigo. Depois de sete anos juntos, ele simplesmente resolveu terminar tudo! Ainda bem que não temos filhos, mas estou completamente arrasada. Como é que ele pode se desligar da nossa vida juntos com tanta facilidade?

Kayleigh

Querida Arrasada em Denver,

Sair de um casamento saudável e gratificante, ou de um relacionamento longo, nunca é fácil – por isso as pessoas ficam neles a vida inteira. Quando alguém realmente vai embora, significa que deixou de amar, pelo motivo que for, que já queria sair dessa há muito tempo e finalmente criou coragem para pôr isso em prática. Ou então... deve existir um outro fator de motivação nessa equação – como, sinto dizer, outra mulher. Em todo caso, o que você precisa entender e aceitar é que enquanto você estava achando que tudo ia muito bem, ele preparava uma estratégia de saída de cena. Isso significa que, evidentemente, em algum ponto, vocês dois deixaram de viver o mesmo relacionamento, mas ele foi o único que notou isso, ou que fez alguma coisa a respeito. Por isso, apesar da saída dele aparentar ser repentina ou fácil para você, deve ter sido tudo menos isso para ele. Na cabeça dele, as coisas já deviam ter parado de funcionar bem há algum tempo, e o que parece fácil agora deve ser resultado de muitas horas, dias e talvez até meses de questionamentos das necessidades e carências dele para saber se o futuro com você era o que ele realmente queria.

MAS ELE NÃO TEM SAUDADE NENHUMA DE MIM?

Querido Greg,

Essa história de terminar relacionamento é dura mesmo! O que a torna ainda mais difícil é que o meu ex nunca mais telefonou, nem apareceu. Sumiu de vez no dia em que terminamos. Nem um único e-mail. Isto é, quando envio um e-mail ou telefono para ele, ele responde e atende, mas nunca toma a iniciativa. Como podíamos ser tão íntimos num dia e no dia seguinte parecer que eu nem existia? Sinto muita falta dele! Não posso acreditar que ele possa ter mudado assim tão depressa. Por favor, diga que ele pensa em mim. Será que meu ex não sente saudade nenhuma do nosso namoro?

Navi

Querida Desaparecida em Ação,

Infelizmente, pelo que você diz, parece que ele não tem saudade de você mesmo, pelo menos não o bastante para procurá-la. Você parece não entender que terminou. Não devia ligar nem enviar e-mails de jeito nenhum, porque o status de vocês mudou e qualquer contato com ele não vai ajudá-la a desfazer os laços emocionais. Não é como se ele tivesse saído da cidade a trabalho por algumas semanas. Ele saiu do relacionamento para sempre. E, mesmo que sinta saudade de você de vez em quando, esse sentimento será abafado pela convicção de que o relacionamento de vocês não servia para ele. Ele pode até estar pensando em você, mas não quer entrar em contato com você – e isso devia deixar bem claro que o fim do relacionamento é real, concreto, e que você deve deixá-lo em paz e seguir com a sua vida.

MAS ELE NÃO TEM AS MESMAS LEMBRANÇAS?

Querido Greg,

Já me apaixonei algumas vezes na vida, mas nada parecido com o que meu ex-namorado e eu tivemos juntos. Nosso relacionamento era perfeito, desde o primeiro segundo que pusemos os olhos um no outro, até alguns meses antes de nos separarmos. Fizemos coisas que a maioria das pessoas apenas sonha fazer: tiramos um ano de férias e viajamos pelo mundo inteiro, fizemos tatuagens idênticas e construímos a casa dos nossos sonhos da estaca zero, com nossas próprias mãos. Antes de conhecê-lo, eu estava amarrada a uma vida de trabalho de nove às cinco, por isso nossas aventuras juntos realmente definiram quem eu me tornei como mulher. Agora que terminamos, não há uma única coisa que não me faça lembrar dele. Realmente pensei que aqueles meses de relacionamento não tão perfeito fossem apenas uma fase, e não motivo para jogar fora nosso futuro, mas obviamente ele não pensava

assim. Como pode ter simplesmente acabado? Quando me lembro da vida que tivemos, a separação não faz sentido nenhum. Será que ele tem as mesmas lembranças?

Misty

Querida Lembranças Sem Cores Definidas,

Tenho certeza que ele tem as mesmas lembranças que você, a menos que tenha sofrido recentemente de alguma pancada traumática no crânio (e não estou dizendo que você teve alguma coisa a ver com isso, se alguém perguntar). Apesar de parecer que você teve um relacionamento cheio de aventuras e memorável, ele certamente tinha outros sentimentos mais fortes que sobrepujaram essas lembranças. Será que pode ter simplesmente acabado? Claro que pode, porque acabou mesmo. O relacionamento pode ter sido perfeito para você, mas não foi para ele. Quando termina é porque acabou porque não funciona mais. Isso não modifica nem diminui os momentos maravilhosos que vocês tiveram juntos. Apenas quer dizer que você tem de procurar outro lugar para formar novas lembranças.

MAS COMO É QUE ELE PODE PENSAR EM FICAR COM OUTRA?

Querido Greg,

Saí com amigos uma noite dessas e eles deixaram escapar que meu ex-namorado está namorando outra. Só faz um mês!! Eu nem seria capaz de imaginar namorar outro tão cedo. Vejo ele em todos os outros caras que encontro. Além disso, esperava que pudéssemos voltar... agora como posso estar com ele se ele ficou com outra? Será que ele pensa em mim quando está com ela?

Amber

Querida Amber Ondas de Dor,

As pessoas seguem em frente depois que terminam um namoro, às vezes rapidamente, às vezes bem devagar. O que você tem de lembrar é que já tinha acabado para ele antes de terminar, por isso ele teve essa dianteira no processo de superação. E não é só isso. As pessoas superam as separações de formas diferentes. Alguns gostam de fazer isso sozinhos e outros preferem mergulhar logo num novo namoro. Tenho a impressão de que você não devia estar investindo nada numa reconciliação, por isso na verdade não importa o que ele pensa quando está com a nova namorada. Meu palpite é que como foi ele que resolveu viver a vida, não vai olhar para trás. Você só precisa saber que o destino de uma mulher poderosa como você é encontrar um relacionamento melhor... isto é, depois que se curar desse.

A MELHOR PIOR NOTÍCIA

A melhor pior notícia é que ele não deve estar sofrendo por sua causa, e isso torna muito mais fácil tirá-lo da sua cabeça porque COMO É QUE ELE OUSA NÃO SOFRER!? Seria injusto generalizar e dizer que os homens não lamentam a perda dos relacionamentos. Se não lamentassem, não existiriam cantores, compositores, poetas nem o filme *Swingers – Curtindo a noite*. Mas, em geral, os homens têm mesmo a tendência de se recuperar mais depressa do fim de um relacionamento. O fato é que homens e mulheres têm reações diferentes e tendem a lidar com o fim dos seus relacionamentos de modos diferentes. Parece que os homens são naturalmente mais ligados ao sexo e buscam companhia com mais freqüência e de forma menos seletiva. Por isso, enquanto a mulher que está de coração partido pode não conseguir nem pensar em olhar para outro cara, o homem vai lidar com a perda voltando à caça, ou optando por um concurso de camiseta molhada e uma coleção de transas para curar seu coração partido e saciar seu grande apetite. Os homens também não se permitem os mesmos mimos quando terminam um relacionamento como as mulheres, por isso são socialmente condicionados a superar isso mais rápido ou correr o risco de fazer papel de bobo. Na verdade, os homens são bem idiotas.

Raciocine assim. Você já terminou o namoro com alguém alguma vez? Já largou um emprego de que não gostasse? Cortou uma amizade que não servia mais? Ou cortou da sua vida alguma coisa que não funcionava mais para você? Então saiba que em todas essas ocasiões, o dado comum é que, para você, aquilo já tinha acabado antes de resolver abandonar o barco. E já ter acabado foi o que, em parte, serviu de estímulo para você terminar isso. Se você já levou um fora num relacionamento, então tem de engolir essa pílula amarga, que o seu ex já saiu dessa mesmo e que possivelmente já estava saindo antes de você saber que tinha entrado. Até que ponto isso é um terror? O que é mais terror ainda é ficar presa a essa besteira de "o que ele está pensando e sentindo?". Ele sente a minha falta, como sinto a dele? Não. Se sentisse, você saberia, pois ele agiria de acordo. Ele está saindo com outra? Talvez. Provavelmente. Ou pelo menos planeja isso. Mais uma vez, isso é horrível, mas, se você cair na real, vai entender que conhecer as respostas dessas perguntas não muda o fato de que seu relacionamento não deu certo. Mas aqui vai a melhor parte, que você conhecerá na outra metade do livro. Esse fim de namoro ou casamento pode ser o acontecimento que, além de mudar sua forma de pensar quem você é e o que você merece, também a leva a lugares que você nem sabia que existiam. Então repito, que importância tem o que ele está pensando? Você já lhe deu bastante do seu precioso tempo.

O QUE EU ESTAVA PENSANDO

GREG

Apesar do fim demolidor do meu relacionamento com a srta. Nova York, houve vezes em que fui eu que terminei. E nessas vezes costumava me comportar como um cara-padrão. Depois do fim de um relacionamento de três anos, saí do apartamento dela e fui para o pátio do prédio. Se eu estava chorando? Não. Por mais desagradáveis que tivessem sido as últimas quatro horas do fim de um relacionamento fracassado, eu estava aliviado e até um pouco animado. Se eu chorei depois? Um pouco. Se fiquei triste? Às vezes, mas não tanto quanto ela pareceu ficar. Se eu queria voltar para ela? Não. Se eu queria fazer sexo com ela de novo? Sim. E fiz? Uma vez. Foi um erro? Um erro enorme. Só complicou as coisas, apesar de nós dois termos concordado que era apenas sexo. Se ficamos amigos logo depois? Nós tentamos. Funcionou? De jeito nenhum. O que aconteceu? Ela finalmente concordou em parar de telefonar e de invadir minhas mensagens na secretária eletrônica, e eu concordei em parar de ligar para ela de porre. Se somos amigos hoje? Trocamos e-mails uma vez por ano e ela está muito bem casada, com filhos e tudo. O que se pode aprender com isso? Que todo o drama e todo esse vaivém não modificou o fato de que não éramos feitos um para o outro. Os caras podem pular de um lado para outro e enviar mensagens confusas, especialmente quando existe o potencial do sexo. Mas, se você ouvir com atenção, eles estão dizendo tudo que você precisa saber quando terminam o relacionamento.

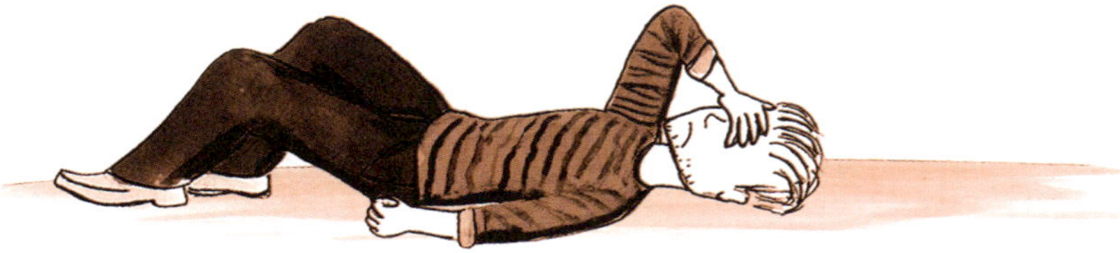

O QUE EU FIZ DE ERRADO

GREG

Não conseguia desligar. O que ela está fazendo? Como pode andar por aí se eu nem consigo levantar do sofá? Como podíamos estar no mesmo relacionamento e não sentir a mesma coisa em relação ao fim? Bem, eu lutei muito tempo contra essa última pergunta, até que um dia, sem mais nem menos (talvez graças a alguns escritos patéticos em diário), descobri que era muito simples. *Nós não estávamos vivendo o mesmo relacionamento*. Nunca vivemos. Desde o primeiro dia no bar em que combinamos com um aperto de mão esquisito que íamos sair só nós dois um dia. Eu nunca estive no relacionamento que queria estar. Agora, uma pessoa com uma escala de valores bem definida e idéia muito clara do que quer da vida devia ver que aquele relacionamento era inaceitável desde o início e devia ter dito, educadamente: "Não, obrigado." Mas, para um cara sem orientação, baixa auto-estima e uma queda para o drama, era PERFEITO! Nós não vivemos o mesmo relacionamento. Depois que descobri isso, todas aquelas perguntas pareceram irrelevantes, porque agora eu tinha resposta para todas elas. Mas a beleza disso foi que agora eu estou aqui nessa página com você, para você aprender, ou pelo menos rir dos meus erros, e não cometê-los também. E se não achar nada disso, tudo bem também. Porque digo sinceramente que, depois dessa enorme queda, eu já vivi bastante e amo minha mulher agora mais do que jamais pensei ser possível amar alguém.

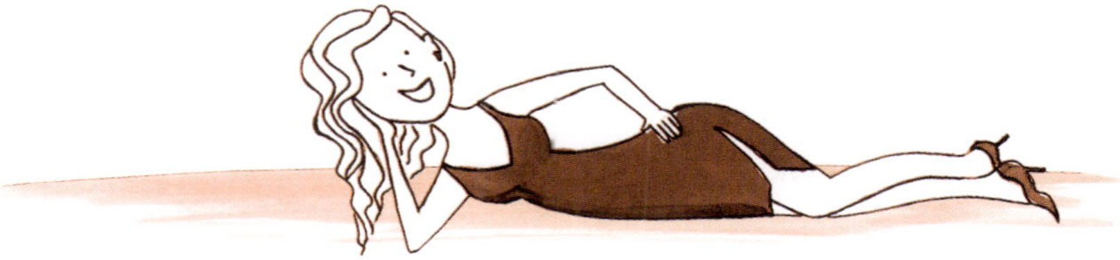

COMO SUPEREI ISSO

AMIIRA

Passei anos imaginando "O que ele está pensando?" e "Como pode fazer isso?", tanto quando estávamos juntos como depois que terminamos. Era como uma partida de xadrez em andamento em que só eu jogava. Tinha certeza de que podia conquistá-lo de volta para o jogo depois de descobrir qual era a sua motivação, depois de fazê-lo entender o que estava perdendo. Ficava procurando o tempo todo o botão de *reset* do nosso relacionamento para podermos voltar ao ponto em que as coisas eram maravilhosas. Ora, eu me considero bem esperta, mas, apesar de saber, pela lógica, que não se pode coagir alguém a sentir o que queremos que sinta, não me recusaria a testar essa regra. Tudo o que eu queria era que ele tivesse esse mesmo fogo queimando dentro dele, e o desejo e a vontade de salvar nosso casamento. Mas todas as tentativas que fiz para despertar isso nele não deram certo, e ele nunca fez nada, não se transformou no cara que eu queria que fosse. Infelizmente não existia nada mais forte do que a ambivalência dele quanto ao nosso futuro juntos. No que lhe dizia respeito, podíamos ficar juntos, ou nos separar. Tanto fazia. Legal. É legal? Como se as opções fossem até remotamente parecidas. Na minha versão de como minha vida devia ser, sempre imaginei que o meu casamento seria algo que as duas partes assumiriam e teriam o que investir. Mas finalmente compreendi. Todos aqueles "O que ele está pensando?" e "Como pode fazer isso?" eram viagens minhas... não dele. O que ficou perfeitamente claro foi que ELE NÃO ESTAVA PENSANDO NISSO! Só eu estava! Por isso ele fez o que fez. E não fez o que eu queria que fizesse porque nem passou pela cabeça dele. O nosso casamento não tinha importância nenhuma. Não estava nem no radar dele! Ele estava satisfeito com o sobe-e-desce daquilo que me fazia sofrer. E sabe o que mais eu descobri? Que ele não estava largado pelos cantos imaginando o que eu devia estar pensando, sentindo ou fazendo, então que m#*da era aquela de desperdiçar meu tempo com isso? Às vezes, a realidade fria é que os caras simplesmente não estão pensando em nós. Depois dessa revelação ficou muito mais fácil finalmente derrubar o meu rei e aceitar o xeque-mate que já estava armado no tabuleiro há tanto tempo. O verdadeiro amor não exige estratégia, mas seguir com a sua vida sim.

IDÉIA IMPRESSIONANTE

Há muitos caras lindos na academia, e alguns deles gostam de mulheres.

PESSOA DEPRÊ

CADERNO DE EXERCÍCIOS DIÁRIOS E, ÀS VEZES, LIVRO DE RECEITAS

Vamos organizar uma farra de autopiedade para você! Pode chorar, mas chorar o dia inteiro no trabalho não vai dar certo, amiga. Olhe para o retrato dele pela última vez, sinta o cheiro do seu suéter velho e depois prepare-se para deixar tudo para trás, porque a cura já vai começar. Primeiro escolha uma música apropriada. Pode escolher os CDs mais tristes que tiver e ponha para tocar sem ordem no seu estéreo... se não, por que não sair de casa? Baixe todas as músicas de fossa do iTunes e crie um mix de dor-de-cotovelo para você. Como é uma festa, precisa haver salgadinhos, tira-gosto e uma caixa de vinhos. Que tal uma roupa especial? O que você vai vestir na sua farra de autopiedade? Que tal alguma coisa bem confortável? Pijama e meias grossas são sempre o máximo nos filmes. Agora, prepare a massa pronta de biscoito e coma crua mesmo, só parando para cantar músicas tristes, usando a colher de pau como um microfone improvisado. Uma caixa de lenços de papel também não é má idéia, enquanto estiver fazendo esse expurgo.

CONFESSIONÁRIO PSICÓTICO

Namorei um cara que morava em outro estado por quase um ano. Ele vinha para a minha cidade e saíamos para o nosso programa quentíssimo, que começava com sexo no banheiro do restaurante maravilhoso aonde íamos jantar, e terminava quando eu pedia para ele pensar em se mudar para Nova York. Eu disse que, como não morávamos na mesma cidade, não sabia se podia continuar a levar a sério aquele namoro. Ele disse algo parecido com: "Levar o namoro a sério, do que você está falando? Você não é minha namorada... nós só nos divertimos juntos às vezes... Pensou que era minha namorada? Verdade? Não pensou... pensou mesmo? Qual é, sem essa... Nossa, eu sinto muito!" Fui MUITO HUMILHADA! Mas fiquei tão atônita que não pude deixar de perguntar: "Como é que eu podia não ser sua namorada? Nós viajamos juntos nas férias, fazemos sexo, conversamos sobre coisas íntimas no telefone, você liga para mim quando viaja e vem me visitar." Ele apenas deu de ombros e disse que eu era só uma das garotas com quem ele saía. Eu não podia acreditar, por isso contratei um detetive particular para descobrir quantas namoradas ele tinha. E por cinco mil dólares fiquei sabendo que éramos algumas. Mas infelizmente meu sofrimento com esse cara não terminou por aí. O pior foi anos depois, quando ele me convidou para o casamento dele sem direito a acompanhante e eu fui, esperando que quando me visse ele desistiria de se casar!

Anônima
Nova York, NY

PARTE II

A SUPERAÇÃO EM GRANDE ESTILO

(ou como se tornar uma poderosa guerreira do fim do relacionamento, de cabelo superbrilhante e muita auto-estima!)

Tudo que termina traz um novo começo (é, essa velha pérola) e agora, finalmente, aqui estamos para reinventar VOCÊ! Parece muito bom, não é? O maravilhoso da vida é que você pode escolher quem quer ser e depois tomar as providências para se transformar nessa pessoa. E pode recomeçar sempre que quiser, não importam os erros ou tropeços do passado. Então, aqui é onde vamos mapear os passos necessários para sua total superação em grande estilo. Nós chafurdamos, enfrentamos, questionamos e choramos. Agora é hora de mandar a Fulana Super Triste embora e revelar a guerreira superpoderosa do fim do relacionamento que existe em você.

O fim do relacionamento pode custar a sua felicidade, segurança, confiança e racionalidade, além da sua camiseta favorita e o CD do Moby. E não é assim que você quer viver. Sabemos que não é o que você quer. Pense em todos aqueles programas de reformas de casas que passam na TV, em que a casa começa praticamente em ruínas. O encanamento não funciona, os alicerces estão cedendo, e não passa de um lugar sujo, deprimente

e destruído. Então a equipe aparece e reconstrói tudo, recupera a casa – transformam num p*#a palácio que faz as pessoas caírem de joelhos (no bom sentido, é claro, não batendo nas pernas delas com uma tábua.) Nem a própria casa acredita no que aconteceu. Bem, essa casa é você. É o que você quer ser. Quer sair dessa experiência com dignidade, classe, força e um conjunto de janelas novas em folha. "Mas eu nunca tive janelas antes", você protesta. É uma analogia, raciocine conosco. A questão é que você pode sair dessa experiência com uma versão melhorada de você mesma, que jamais sonhou que seria possível. Isso não é o máximo, bonitinha? Também achamos. Aconteceu conosco, então vamos fazer acontecer com você também!

Em seguida vamos enumerar nossa lista dos Mandamentos da Superação. São apenas sugestões, mas sugerimos esses mandamentos aos berros. Se seguir estas regras, passo a passo, e aproveitar os exercícios que oferecemos no nosso Superlivro da Superação, você vai descobrir que está progredindo a passos largos. Reinventar você mesma é difícil, sabemos disso. Tirar o cara da cabeça é mais difícil ainda. Mas a única maneira de atravessar a escuridão e sair para a luz (onde, aliás, o homem perfeito dos seus sonhos está à sua espera) é se recompondo e entrando em ação.

Eis a verdadeira história maravilhosa sobre você: você é fantástica. Está fazendo o melhor que pode. Mas apostamos que ultimamente, e talvez você concorde, não tem pensado muito em você mesma. Ou pelo menos em "você" quando significa "só você" e não "você e ele". Se não está se concentrando em você, isso não vai acontecer, querida. Então, vamos tratar de tirá-lo da equação, a partir de agora. Essa experiência é *sua*, e, a partir deste ponto, deve ser sobre *você*, não você e ele, nem sobre o passado. A única maneira de chegar à "revelação" da nova e aprimorada mulher poderosa com o irresistível conjunto de janelas é andar para frente sem parar. Nossos sete mandamentos mostrarão como fazer isso.

PRIMEIRO MANDAMENTO
(OU SIMPLESMENTE UMA IDÉIA MUITO BOA)

Não o veja nem fale com ele POR SESSENTA DIAS

Sessenta? Sim. Sessenta. Mas... NADA DE MAS, GATINHA! Sabemos que parece muito tempo, e é mesmo. Mas se existe alguém que precisa de uma desintoxicação "de ex", é você! (Entendeu? desintoxicar... somos espertos, não?) Este é o nosso primeiro mandamento, e é de longe a melhor coisa que você pode fazer por você mesma. A idéia é tirá-lo do seu organismo, pois ele terá bem menos chance de continuar exercendo seu poder e de ficar impregnado em você, se não tiverem nenhum contato. Além disso, impor essa lei dos sessenta dias vai lhe dar a oportunidade de assumir o controle de uma situação que faz você se enrolar toda, completamente sem controle. É a sua chance de dar as cartas. Não estamos nem aí se ele (ou você) ainda quer continuar a amizade, se ele ainda está com coisas suas, ou se vocês tinham sido fundidos juntos num acidente de solda. Você pode repassar todas essas questões daqui a dois meses, quando terá adquirido alguma clareza de raciocínio. (E até lá você provavelmente nem vai mais querer falar com ele de novo.) A questão aqui é cuidar de você e se colocar numa posição em que possa superar essa fase realmente difícil com certa facilidade.

Sessenta dias dá a distância emocional necessária para a recuperação completa. Vamos encarar os fatos – neste momento o seu ex ainda aperta os seus botões. E vai continuar a fazer isso até você eliminar o botão. Zero contato é a forma mais fácil (e talvez a única) de evitar todos os problemas e armadilhas mencionadas na Parte Um – a metade do livro que trata do fim do relacionamento. "Mas pessoal, não é tão simples assim." Na verdade é simples sim, só não é *muito* fácil. Se você estivesse parando de fumar, não ia comprar cigarros, sair com gente que fuma, ir a lugares em que as pessoas fumam, ou tomar um porre e telefonar para os cigarros às 4 da madrugada, implorando para eles aparecerem para uma última baforada. Sendo bem realista, o único jeito de evitar todos os pequenos métodos que você e seu ex têm para torturar um ao outro – ele telefona para ver como você está, você inventa desculpas para vê-lo, você fica verificando obsessivamente seus recados, ou pior, os dele – é tirá-lo de cena e cortar todo e qualquer contato.

De acordo com a nossa experiência, dois meses – sessenta dias, 1.440 horas, 86.400 minutos, montes e montes e montes de segundos, ou como queira chamar – têm algo de mágico. *Quando você chegar lá, vai saber exatamente o que nós queremos dizer.* "E se eu não conseguir?", você pergunta. Você consegue. E nós sabemos que isso é verdade, porque você vai acabar tendo de fazer isso. Não é só uma questão da escolha ser sua agora, ou dele mais tarde, porque em algum ponto ele vai parar de atender suas ligações, ou vai conhecer outra pessoa. Um de vocês ou os dois vão finalmente se cansar com o drama demorado e chato. Por isso, escolha a opção que vai permitir que você se sinta bem com tudo que escolhe de hoje em diante. Não seja a ex-namorada doida e grudenta que não larga do pé dele. Mergulhe de cabeça numa "desintoxicação de ex" auto-imposta. E isso quer dizer NENHUM CONTATO! Além de não tomar a iniciativa de procurá-lo, você também não vai aceitar os telefonemas ou visitas dele. Nesse caso, não tem meio-termo. Mesmo se você pretende manter uma amizade com ele, tire umas férias de pelo menos dois meses desse relacionamento. Confie em nós: se ele for realmente o tipo de amigo que você quer e precisa, ele vai compreender. E é muito provável que até agradeça uma certa distância.

Ainda não se convenceu? Então responda: por que você deve falar com a pessoa que acabou de partir seu coração? Você não voltaria todos os dias para um emprego do qual tivesse sido demitida, só para se sentir incompetente, voltaria? "Mas eu realmente adorava meu emprego." E daí? Eles mandaram você embora. "Mas meu emprego era tão bom de cama." O quê? Essa é a parte em que o seu emprego chama o segurança para acompanhar você para fora do prédio. (E francamente, o segurança tem coisa melhor para fazer do que expulsá-la de lá... e você também!)

Procure pensar dessa maneira: você está dando o tempo que gastava com ele de volta para você mesma como um presente, e ele não vai receber nem uma parte disso por pelo menos dois meses, enquanto você se estabelece como a nova você. Sabe todas aquelas pequenas tarefas e projetos que andava pensando em realizar? Bem, agora você tem tempo para isso! Sejam tarefas divertidas (comer todos os sabores de sorvete) ou horríveis (fazer sua declaração de renda), essas coisas em geral são as que vão fazer você se sentir melhor depois que realizá-las. Essas tarefas também podem ser uma grande oportunidade para você resgatar quem você é e para começar a empregar novamente sua energia em atividades e relacionamentos que talvez tenham sido negligenciados quando você estava com o seu ex. Eis algumas idéias:

Reorganize seu armário e dobre todas as suas peças de roupa de novo.

Ponha todas as suas fotografias em álbuns ou em caixas de fotos com etiquetas. E enquanto estiver fazendo isso, aproveite para tirar cópias das fotos preferidas da família e dos amigos e envie com um bilhete para as pessoas das fotos.

Baixe todos os seus CDs no seu computador ou iPod e depois venda todos para uma loja de discos usados e gaste esse dinheiro extra naquela saia justa descolada que andava paquerando.

Peça para uma amiga ensinar você a fazer tricô e depois tenha a sua noite de "tricotagem" com as amigas.

Tire a poeira do seu clarinete, piano, violão, ou seja lá que sonho está encostado no canto juntando pó, e dê uma arejada.

Alugue seus filmes preferidos dos tempos da faculdade e convide alguns amigos para assistir com você a seu festival de John Hughes, Cameron Crowe, Quentin Tarantino, Adam Sandler.

Vá a uma banca de jornais, dê uma espiada em todos os tipos de revistas e veja o que a atrai mais. Você pode ter um novo interesse que nem conhecia.

Experimente fazer jardinagem. Plante algumas gardênias na janela do seu quarto e jasmins que florescem à noite perto da porta da frente, para sua casa ficar deliciosamente perfumada. Se mora em um apartamento,

que tal plantar algumas ervas em vasos? Nada enfeita mais o peitoril da janela do que alecrim, manjericão e tomilho.

*****Se tiver um cachorro, por que não o treina para ser um cão terapeuta que visita hospitais e alegra a vida das outras pessoas?***

*****Inscreva-se para ser a Irmã Mais Velha de uma criança carente, ou filie-se em algum centro de trabalhos voluntários. Agora é o momento perfeito de pensar em alguém mais além de você. Lembre que você tem muito a oferecer!***

E COMO É QUE EU VOU FAZER ISSO?

Dois meses podem parecer mesmo assustadores. É por isso que em muitos programas de doze passos eles fazem as coisas um dia de cada vez. Você não pode viver o amanhã, só pode viver o hoje. Então hoje vai dar o melhor de si para não vê-lo nem falar com ele. Vamos encarar o amanhã amanhã. Entendeu? Se você ler isso amanhã, será hoje, por isso parabéns por ter conseguido um dia sozinha, até agora. Você pode até marcar no calendário cada dia que cumprir esse mandamento. Não há nada mais inspirador do que ver uma fileira de X pretinhos e brilhantes, um seguido do outro.

Se você ainda está resistindo muito a essa idéia, terá de fazer um inventário sincero e descobrir por que está sendo tão difícil para você. Afinal de contas, você se conhece melhor do que qualquer pessoa – e se não se conhece, já é mais que hora de se conhecer. Temos até um lugar para você fazer esse inventário. Isso mesmo, é hora de pegar um caderno! "Beleza, pessoal, é exatamente o que eu quero a essa altura do campeonato – dever de casa. Tomara que tenha matemática." Olha, nós compreendemos, e a verdade é que você pode fazer quase tudo que vamos recomendar de cabeça. Mas há algo de transformador em ver isso no papel e entender que foi você que escreveu tudo isso lá. Ter uma prova concreta de que está trabalhando por você mesma, e um lugar onde possa rever seus pensamentos, marcar o tempo e medir o seu progresso é muito gratificante. A outra coisa ótima do seu caderno é que pode ser um lugar seguro para você anotar toda a sua loucura e assim não ter de exibi-la ao mundo. "E se eu quiser escrever num café?" Ei, não tem problema! Não é esse o tipo de exibição para o mundo em que estávamos pensando (veja o quinto mandamento, página 217).

O SUPERLIVRO DA SUPERAÇÃO
DA MULHER INTELIGENTE

Vamos inaugurar o seu caderno dando uma cara para ele, ou mais especificamente, a cara DELE. "Eu não vou cortar a cara dele e pôr em um caderno. Isso seria ilegal."

Tem razão. Então, em vez disso, procure o melhor retrato que tiver dele e também o pior. Cole as duas fotos no alto da primeira página do caderno. Embaixo da melhor foto escreva uma lista com as melhores qualidades, as coisas que provocarão mais saudade, e depois complete a seguinte frase: Este é o homem que ________. Embaixo da pior foto, faça outra lista com os piores defeitos, as coisas das quais você definitivamente não sentirá falta, e depois complete a seguinte frase: Este é o homem que ________. Se tiver problema para começar, incluímos aqui uma amostra de como deve ficar.

Melhor foto dele ***melhores qualidades***	**Pior foto dele** ***piores defeitos***
É parecido com Ashton Kutcher	*Não é inteligente como Ashton Kutcher*
É leal com os amigos	*Fala mal dos amigos pelas costas*

Aprecia a beleza

Escova os dentes regularmente

Assiste a filmes pornôs demais

Está sempre coçando o saco

Péssimo gosto para calçados

Mentiu para mim

Terminou comigo

Do que sentirei saudade

Seu senso de humor

Namorar diante da lareira

O sexo maravilhoso

O jeito que ele olha para mim

Do que jamais sentirei saudade

Piadas sujas

Ele namorar a vizinha

Ele fazer sexo com a vizinha

O jeito que ele olha para a vizinha

A vizinha dele

Este é o homem que pensei que ia ser meu marido.

Este é o homem que me deixou na merda.

Depois que você tiver completado a sua lista, vamos examinar cuidadosamente os dois lados. O seu ex é esses dois caras e tem todas essas qualidades e defeitos. É fácil lembrar apenas as coisas boas e fantasiar o relacionamento do jeito que era no começo (isto é, perfeito), em vez de lembrar como foi deteriorando com o tempo e os problemas que levaram ao fim do namoro. Agora isso será a primeira coisa que você vai ver sempre que abrir o seu caderno. Ele não era perfeito. O seu relacionamento não era perfeito. No fim das contas, ele é apenas uma pessoa, como você. Só que não tão bonito, e ele coça demais o saco. Agora, vire a página e vamos começar essa festa.

Então, onde estávamos? Ah, é. Sessenta dias sem vê-lo e sem falar com ele, e por que isso é difícil. "Porque sinto falta dele, seus retardados!"

Nós sabemos disso, e já entendemos tudo: você se acostumou a falar com ele, não está habituada a dormir sozinha, você realmente quer salvar a amizade, ele a magoou e não vai escapar assim tão fácil, ele ainda está com as suas meias preferidas, ele tem o seu pênis preferido, e por aí vai. São apenas desculpas e motivos para não seguir em frente. Você já está arrasada e, como já esclarecemos, ele já tomou a dianteira nesse processo de superação. Por isso pense aonde vai chegar se continuar agarrada a isso, ou se exigir esmolas de atenção dele. Aonde vai chegar se atormentando assim (ou atormentando ele)? O alívio momentâneo de escutar a voz dele compensa a reafirmação da rejeição que você sente quando cada telefonema ou encontro não resulta em recuperar a vida que vocês tiveram juntos? O que nele vale mais do que você se sentir inteira de novo?

Essas são perguntas que você precisa responder, e é no seu caderno que vai fazer isso. Na verdade, nós vamos sugerir que em cada um desses sessenta dias você escreva no seu caderno assim que acordar de manhã. Mesmo se tiver de acordar quinze minutos mais cedo e não tiver nada para escrever além de "Não tenho nada para escrever", "Eu realmente quero ligar para ele", ou "Eu odeio esses palhaços que me fazem escrever num diário todos os dias". Tome o seu café e saia de casa. Esse simples ato vai acabar proporcionando a capacidade de deixar alguns pensamentos, dores e ansiedades no papel por pelo menos algumas horas. Não seria bom um grande intervalo sem pensar nele? Não seria bom dar uma folga para as suas amigas, que a apoiaram tanto? Nós sabemos que você se sente péssima. Sabemos que isso parece um monte de babaquice tipo "blablablá, experimente isso, é legal". Se é assim que você se sente, escreva. Sempre que tiver algum sentimento forte, bom ou mau, e tiver um tempinho, escreva no seu caderno. Extravase sua fúria no papel! Ou simplesmente rabisque, desenhe, risque a forma da sua mão e transforme no seu peru do Dia de Ação de Graças.

Se está querendo instruções mais específicas, experimente completar as frases abaixo e veja se elas não se transformam em parágrafos de divagações espontâneas. Você pode se surpreender com a quantidade de coisas que estão querendo transbordar da sua cabeça.

1. ***Sessenta dias sem falar com ele vai ser tarefa difícil porque _______.***
2. ***Por que tem de ser eu a _______.***
3. ***A hora que mais penso nele é _______.***
4. ***Hoje, em vez de ceder ao impulso de falar com ele, eu vou _______.***
5. ***Mesmo quando estou na pior, pelo menos tenho _______.***
6. ***Isso é idiotice porque _______.***

CARA, EU SEI O QUE VOCÊ ESTÁ PENSANDO

GREG

Você está pensando, é, mas você já fez isso? Já. Eu escrevi um diário, fiz colagem e decupagem. Enviei cartas para a minha raiva (ela não respondeu. Bem típico), fiz uma boneca vodu com os meus medos e inventei uma dança para comemorar a minha originalidade. Não pense que essa última parte não apavorou meu companheiro de quarto. "Ei, maluco, que merda é essa que você está fazendo?" "Ah, estou dançando para comemorar a minha originalidade." "É, mas será que poderia não fazer isso na cozinha, aliás, não fazer isso dentro de casa?" Não existe caderno de exercícios que eu não tenha feito ou experimentado. Se eles funcionam? Acho que sim. Eles nos ajudam a enfrentar nosso problema e nos apontam algo para fazer com a energia negativa que poderia nos tirar dos trilhos e nos impedir de viver a nossa vida, se não fizéssemos. Não vamos pedir para você fazer um chapéu de *papier-mâché* com os seus sonhos, mas achamos que o simples ato de pôr essas coisas no papel já ajuda. Tirar da sua cabeça e escrever no caderno. Verdade seja dita, eu nunca tinha escrito nada antes que alguém me recomendasse escrever um diário, e agora olhe só para mim. Escrevo livros em que digo para você escrever um diário. Ha! A vida é mesmo maravilhosa às vezes.

SITUAÇÕES ESPECIAIS

Mas e se nós morarmos juntos? E se tivermos filhos? E se formos donos de uma fazenda de criação de chinchilas no interior? E se não nos falarmos por sessenta dias for total e completamente impossível?

Então o contato deve ser o mais breve e cordial possível, enquanto vocês planejam não morar mais juntos ou vender a fazenda de criação de chinchilas. Se tiverem filhos, então é claro que o bem-estar deles é primordial e você, sendo a mulher superfina que tem uma classe incrível em situações difíceis, enfrentará o problema... e ao mesmo tempo manterá os contatos reduzidos ao mínimo necessário, apenas para tratar dos filhos. NÃO use as chinchilas para punir o seu ex. Elas são inocentes no meio de tudo isso. A vida delas já é bastante estressada, com toda a correria e criando pêlo. A mesma coisa se aplica aos filhos.

Os filhos são resistentes e conseguem sobreviver a uma separação ou divórcio se tudo for bem resolvido pelos adultos. Você, como guerreira poderosa do fim do relacionamento que é, precisa redefinir seu relacionamento com o seu ex. O seu modo de fazer isso exercerá um papel importante no exemplo do que são os relacionamentos para seus filhos. É claro que essa será uma das situações mais difíceis que você terá de enfrentar na vida, e terá de negociar com muito cuidado. Sessenta dias de contatos limitados podem ajudar muito a desfazer um pouco da tensão e a estreitar o foco desse contato para as crianças, e o bem-estar delas vai ajudá-la a iniciar o processo de redefinição. Você pode cometer erros ao longo desse caminho, mas isso faz parte da curva de aprendizado, por isso não seja exigente demais com você mesma. O seu comportamento quando comete um erro é mais importante do que o próprio erro.

AS PESQUISAS INFORMAM

O arrependimento que mais apareceu nas centenas de pesquisas sobre separações que lemos foi: "Queria ter simplesmente deixado de vê-lo e de falar com ele, em vez de tentar manter a amizade." Quase todas concordaram que manter contato dificultou muito a recuperação depois do fim do relacionamento. E não foi só isso, quase todas que continuaram falando e encontrando com seus ex não tinham mais nenhum laço de amizade com eles, porque, com o tempo, acabaram preferindo a autopreservação em vez de prolongar esse investimento emocional num cara que tinha partido seus corações. Ou que finalmente perceberam que aquela pessoa simplesmente não merecia o tempo delas. Nós não vamos dizer "Eu não disse?", mas talvez as massas não estejam enganadas quanto a isso. Estamos apenas dizendo que...

E você pensava que o fim do seu namoro tinha sido péssimo!

Nosso namoro durou quase quatro anos. Moramos juntos quase todo esse tempo e planejávamos nos casar e ter filhos. A família dele sempre foi um desastre, e a minha, apesar de não ser perfeita, certamente nunca foi um problema tão grande para nós como a dele. Para dar uma rápida idéia do que era a família

dele: ele tem três irmãos, e todos foram presos por uso de drogas, furtos a lojas, todo tipo de delito. Quando a irmã dele foi presa por dirigir alcoolizada, nenhum deles tinha dinheiro para pagar a fiança, porque a mãe não ganha muito e meu namorado tinha acabado de largar o emprego para criar sua própria empresa (cujo capital fui eu que providenciei). Por causa dessa situação deles, eu me ofereci para pagar a fiança. A família prometeu me devolver o dinheiro com juros assim que pudessem (o que até hoje nunca aconteceu). E havia o pai dele, que cumpria uma sentença de três anos na prisão por estelionato. O fato do pai dele estar preso foi um dos principais motivos de termos de atrasar o noivado, porque meu namorado queria muito que o pai participasse da festa.

Então, finalmente, o pai dele foi solto e a comissão da condicional tinha de aprovar o endereço de onde ele ia morar para poderem vigiá-lo. Como estava separado da mulher e não havia mais espaço com ninguém, meu namorado pediu para o pai vir morar conosco até o agente da condicional liberá-lo para morar sozinho. Ele enfatizou que assim teríamos oportunidade de investir no relacionamento que ele queria que tivéssemos. Aqui, devo mencionar que estávamos morando na minha casa, que eu tinha comprado com meu dinheiro suado, e meu namorado pagava um dinheirinho como aluguel, até ter a própria empresa funcionando. Além de financiar a nova firma, eu estava pagando a prestação da casa e agora o pai dele, ex-condenado, ia morar conosco por três meses. Mas eu pensava que íamos logo nos casar e que aquilo era apenas parte do pacote.

EU ESTAVA ERRADA. No dia – sim, exatamente no dia – em que terminaram os três meses na minha casa, exigidos pelo agente da condicional, meu namorado "deixou de me amar". Caramba. Eu também não acreditei. Assim que levei um fora feio depois de ser uma merda de uma santa, ou um capacho, todos aqueles anos. Dizer que meu mundo virou de cabeça para baixo seria minimizar a coisa, e levei muito tempo para superar isso. Chorei, fiquei deprimida, não comia, não dormi e não consegui pensar direito por meses a fio. A minha depressão era palpável. Mas fiz um esforço enorme e não falei com ele, nem o vi mais, desde o momento em que ele saiu da minha casa. Eu me policiava para não ir à casa deles depois do jeito que ele e a família dele tinham me tratado. Foi difícil demais, ATÉ que descobri que ele tinha engravidado outra mulher (com quem ele havia saído apenas uma vez, devo acrescentar) quatro meses depois de me abandonar, e acabou casando com ela numa quinta-feira à tarde, na justiça! Dá para acreditar? Agora eu acho que tive muita sorte de ter saído tão bem daquele pesadelo de família. Eu podia ter sido explorada por todos eles e por um cara que não era tão maravilhoso, afinal!

Carole

Fairfax, VA

Segundo Mandamento
(ou uma sugestão importante)

Arrume uma companheira ou companheiro DE FIM DE RELACIONAMENTO

Que merda é essa?, você pergunta. "É alguma boneca terapêutica ridícula, daquelas para quem a gente deve gritar e extravasar os problemas? Ora, eu não entro nessa." Vamos com calma aí, poderosa! Gostamos de pensar que somos seus companheiros do fim do relacionamento, e não há nada melhor do que os ouvidos e o coração de outro ser humano para ajudá-la a atravessar essa fase difícil. Queremos estar sempre aqui quando você precisar de ajuda, e, caso você não possa convocar uma amiga, esperamos que a leitura dessas páginas sirva de auxílio. Mas ter uma boa amiga para procurar quando você tem um momento de fraqueza, quando se sente sozinha, ou quando está prestes a comer uma panela inteira de frango frito só de calcinha pela casa, é o máximo!

Se você é do tipo que pensa "Oh, eu não quero incomodar ninguém com essa história toda", você tem muita consideração pelos outros, e não pensem que isso passou despercebido. Mas pode acreditar em nós: uma boa amiga se sentirá honrada por você tê-la escolhido, e terá muito prazer em ajudá-la a passar por essa fase difícil. Um dos prazeres da vida é poder ajudar um amigo necessitado, e neste momento esse amigo é você. "Mas posso fazer isso sozinha." Sim, pode, mas por que faria? Van Gogh tentou fazer isso e acabou enviando a orelha dele para o ex dentro de uma caixa.

Quando for escolher uma amiga para acompanhar o fim do relacionamento, você provavelmente já terá alguém em quem pensou primeiro. Se não tiver, escolha alguém que tenha pelo menos três dessas qualidades:

1. ***Conheça pelo menos um pouco o seu relacionamento.***
2. ***Seja boa ouvinte, ou seja boa em fingir que é.***
3. ***Ache você o máximo!***
4. ***Tenha telefone celular, bip ou outra forma confiável de ser contatada.***
5. ***More perto de você para ser acessível nas crises urgentes de fim de relacionamento.***
6. ***Tenha uma hora por dia para conversar com você, se você precisar.***
7. ***Tenha passado também por uma separação.***
8. ***Não trabalhe como palhaça profissional.***

A idéia por trás desse conselho de arrumar uma amiga do fim do relacionamento é simples: uma pessoa desesperada (você) nem sempre é capaz de tomar as melhores decisões. Às vezes você precisa de uma companhia para passar um dia sem recaídas. Mas, como já dissemos na primeira parte do livro, você pode sem querer acabar afastando suas amigas com a sua necessidade obsessiva unilateral de "falar" dele o tempo todo. É por isso que, quando pedir para uma amiga ser sua companheira especial do fim do relacionamento, deve avisar que nos próximos sessenta dias vai pedir para ela dedicar seu tempo, sua paciência e sua energia para ajudar você. A tarefa pode ser simples como ser a pessoa para quem você telefona quando sente necessidade de ligar para o seu ex, ou até acompanhante substituta para jantar fora e ir ao cinema num fim de semana. O papel deve incluir também funcionar como elo entre você e seu ex se vocês tiverem assuntos pendentes ou pertences para trocar durante a sua fase de desintoxicação de ex. Deve ser alguém com quem você possa contar sempre que não souber o que fazer e, acima de tudo, deve garantir que você não faça nada que comprometa a sua recuperação. Como aprontar uma invasão de domicílio no meio da noite ou sucumbir a toneladas de sundaes.

E COMO É QUE EU VOU FAZER ISSO?

Pedir ajuda é sempre difícil para quem se considera uma garota enturmada. De fato, muitas vezes é mais fácil se debulhar em lágrimas e ficar confusa do que simplesmente abordar uma amiga e dizer "Preciso de ajuda". Mas sabe de uma coisa? Nós não fomos postos neste planeta sozinhos. Às vezes você precisa aceitar que não possui todas as respostas, e que não pode resolver tudo. Além do mais, a maior parte das coisas que fazemos na vida são melhores quando não estamos sozinhos.

A dor constante de um coração partido pode ser uma fera, exclusiva e implacável. As pessoas que já levaram foras costumam sentir empatia e camaradagem enormes umas pelas outras. Todos nós temos amigos que já passaram por isso. É bem possível que você tenha estado lá com as suas, segurando a caixa de lenços de papel. Então pegue o telefone e ligue para aquela amiga. Temos certeza de que ela terá prazer em ajudar.

Então, em que isso difere de bombardear todas as suas amigas até a morte com a sua arenga triste e obsessiva? Ainda bem que você perguntou! Recrutar uma amiga especial para esse período é um ato de quem está assumindo o controle da situação. Em vez de permitir que a sua necessidade de desabafar, reclamar e de mergulhar profundamente em todas as áreas da sua vida e em todos os relacionamentos que você tem (o que só vai perpetuar sua prisão e fazer você sofrer), você estará se limitando a uma amiga que concorda em ajudar e assim garante apoio mas não sujeita as outras a uma infinita ladainha de lamentações. Ter um acordo estabelecido também afasta qualquer sensação de culpa que você possa vir a sentir pelo fato de telefonar para essa amiga três vezes num único dia. Você pediu para ela ficar do seu lado sessenta dias. Ela aceitou. Ela quer estar ao seu lado. Portanto, você pode pegar o telefone quando precisar, sem sentir vergonha nenhuma e sem arriscar suas amizades.

O SUPERLIVRO DA SUPERAÇÃO DA MULHER INTELIGENTE

Entre naquele seu caderno e escreva todas as vezes, nesses últimos anos, em que você pensou em pedir ajuda. Embaixo de cada entrada, escreva por que não pediu. Agora escreva também cinco bons motivos para pedir ajuda neste momento, mesmo que todos os cinco sejam porque nós dissemos para você fazer isso. Escreva ainda cinco motivos para não pedir ajuda. Risque esses cinco últimos e trate de providenciar a sua amiga ou amigo para ajudá-la nessa sua separação.

CARA, EU SEI O QUE VOCÊ ESTÁ PENSANDO

GREG

Quer saber se eu tive um amigo quando me separei? Na hora em que comecei a me entender eu já tinha esgotado quase todas as amizades que tinha, com a notável exceção da minha incrível irmã, só que ela morava em outro estado. Felizmente, o programa que me manteve sóbrio sugere que você tenha uma espécie de padrinho. E foi exatamente daí que tiramos a idéia do amigo para o fim do relacionamento. Eu não sei o que teria feito sem o meu padrinho. Foi um alívio imenso poder partilhar a minha batalha com alguém que já tinha passado por isso e que podia garantir que, com o tipo certo de raciocínio, eu poderia superar a minha tristeza. Olha, não há dúvida de que esse processo vai ser duro. Quando você começar a se sentir melhor, algum incidente aparecerá do nada na sua frente e... bum... você vai se sentir na merda outra vez. Nesses momentos de fraqueza, não seria maravilhoso ter alguém para quem telefonar, alguém que prometeu ficar ao seu lado nessa hora de aperto e sofrimento? E saiba de uma coisa: Amiira e eu estamos pensando em você também. Foi por isso que escrevemos este livro.

SITUAÇÕES ESPECIAIS

"Mas ele era meu melhor amigo." Então o que era aquela menina que tinha cheiro de salada de ovo na terceira série, e de quem você continua não precisando por perto? Nós entendemos, às vezes você mergulha tão fundo num relacionamento que acaba se isolando, e aí, quando termina, você vê de repente que ficou sozinha. Mas agora é o momento perfeito para reatar os laços com alguns de seus amigos mais antigos e mais compreensivos. Você não é a única que ficou tão amarrada num relacionamento que perdeu o contato com as pessoas. Simplesmente reúna a sua coragem e dê o primeiro passo. Ficará surpresa de ver como sua antiga equipe vai se alegrar de tê-la de volta.

"Eu não tenho nenhum amigo íntimo." Isso deve ter sido bom para o seu namorado: ser responsável pelo seu mundo inteiro. Nenhuma cobrança nesse departamento. Então aqui vai uma lição para o futuro: ter um bom relacionamento amoroso não substitui ter bons amigos. Uma existência perfeita inclui os dois. E no seu caso, vamos dizer que já é mais que hora de você ter algumas amigas, porque certamente você merece. Dito isso, as amizades não surgem da noite para o dia, por isso, nesse meio-tempo, porque não procura ajuda profissional? É sempre bom ter alguém com quem conversar, especialmente uma pessoa que dedicou a vida a ajudar os outros a superar os acidentes do percurso. Quem sabe, talvez você possa compreender por que não conseguiu ter proximidade com outras pessoas, fora seu namorado. E quando chegar o momento certo, você poderá abrir a porta para novas amizades.

AS PESQUISAS INFORMAM

Praticamente quase todas as pesquisas que lemos incluem essa afirmação: "Eu não teria suportado passar por isso se não fossem os meus amigos ou amigas." Soubemos de gestos que iam desde telefonar todos os dias para obter notícias, até levar o coração partido para uma viagem de férias. A única coisa que cada um desses gestos sobre os quais lemos tinha em comum com os outros era o valor enorme atribuído a eles. Na questão do fim dos relacionamentos, as amizades são o melhor remédio que existe por aí, por isso use as suas com inteligência.

NOTA PARA O COMPANHEIRO OU COMPANHEIRA DO FIM DO RELACIONAMENTO

Então uma amiga pediu para você ser a companheira dela nesse fim de relacionamento. Isso é fantástico! E você deve considerar isso uma honra, porque ela está praticamente dizendo: "A minha vida está desmoronando e você é a pessoa a quem posso recorrer agora." Isso tem de ser uma sensação boa, porque não foi para isso que fomos postos neste planeta? Para ajudar uns aos outros? Mas agora você deve estar pensando: "Humm. Isso é uma grande responsabilidade. O que eu devo fazer? E se não estiver qualificada para ser uma amiga do fim do relacionamento?" Ouça, toda qualificação que você precisa ter é um par de orelhas e um pouco de paciência. E só. Mas nós temos aqui uma lista de idéias para orientá-la e que você possa levar em conta nesses seus dois meses de serviço.

1. *A sua função não é tratar dessa pessoa. Ela terá de fazer isso por conta própria. O que você pode fazer é ouvir o que ela tem a dizer, ser sincera com ela e orientá-la para que faça escolhas inteligentes... como não procurar o ex.*

2. *É bom estabelecer limites. Você também tem a sua vida e não vai querer ser explorada. Se uma hora ao telefone é tudo que pode oferecer, muito bem, é isso. Se não pode conversar quando está no trabalho, tudo bem. Explique quando você estará disponível e o que ela deve fazer num caso de crise, de emergência.*

3. *Torne a coisa divertida. Tudo bem deixar que a pessoa chore no seu ombro algum tempo, mas depois sugira ir ao cinema ou a um concerto, talvez apenas dar uma caminhada. Melhor ainda, diga: "Vamos*

caminhar enquanto conversamos." Procure não deixar que ela fique sedentária demais. O seu trabalho e a recuperação dela ficarão muito mais fáceis se vocês saírem pelo mundo onde as distrações da vida podem provar que mesmo as maiores vítimas da dor-de-cotovelo conseguem se divertir com cachorrinhos pequenos, com pedestres bonitos e com uma bela vitrine.

4. Paciência. Paciência. Paciência. Sua amiga pode levar um tempo para assumir o controle da sua nova realidade de solteira. Isso é normal. Desde que esteja fazendo na sua companhia, da amiga do fim do relacionamento, e não com o ex.

5. Divida a riqueza. As suas experiências, sua força e sua esperança vão ajudá-la a sair da escuridão e chegar à luz. Talvez você tenha passado por uma situação semelhante, por isso compartilhe sua história e as coisas que fez que foram úteis para superar isso. Ouvir esses relatos de outra pessoa é um consolo maior do que você pode imaginar.

6. Você é uma boa amiga por estar fazendo isso.

E você pensava que o fim do seu namoro tinha sido péssimo!

Meu pai sempre foi muito rígido quanto à sua convicção de que uma mulher não devia morar com um homem antes do casamento. Por isso ele não ficou nada satisfeito quando ignorei seus desejos e mudei para a casa do meu namorado, depois de mais de um ano de namoro. Meu namorado tinha pedido concordata alguns anos antes, por isso o apartamento tinha de ser alugado no meu nome, e todas as contas estariam também sob minha responsabilidade. Além disso, por ser considerado inadimplente, ele não tinha cartão de crédito e não obtinha aprovação para comprar um carro, nem quando já tinha emprego. Por isso eu o nomeei co-titular de todos os meus cartões de crédito e cheguei até a convencer meu pai (que ainda não estava nada animado de ver a filha vivendo em pecado) a vender para ele um de seus carros mais antigos, que não usava mais. No início, meu namorado fez tudo direito e só usava o cartão quando realmente precisava, para pagar sua parte da despesa todos os meses, e manter-se em dia no pagamento das prestações do carro para o meu pai. Tudo estava maravilhoso, e meu pai começou finalmente a simpatizar com ele.

Bem, o meu namorado passou a fumar muita maconha, de vez em quando usava outras drogas (acho que era cocaína), e acabou perdendo o emprego. Em vez de procurar outro e cortar a maconha, ele resolveu se tornar um agente de talentos. Com os meus cartões de crédito, ele comprou uma tonelada de equipamento de escritório, áudio e vídeo e também roupas novas. Durante meses, ele só ficou gastando como louco, estourando os limites dos cartões, sem pagar um tostão, inclusive sua parte do aluguel e as prestações do carro. Tentei apoiar a nova carreira dele, mas condenei aquela gastança e reclamei que estava bagunçando as minhas finanças. Depois de um tempo, pedi os cartões de crédito de volta.

A reação dele a esse pedido foi me xingar de um monte de coisas. Saí de casa e fui passar a noite na casa da minha irmã. Na manhã seguinte, voltei para casa e descobri que ele havia carregado tudo e desaparecido.

Cancelei meus cartões de crédito mas continuei com uma dívida de mais de dez mil dólares. Fiquei atônita de ver que tinha julgado tão mal o que meu agora ex-namorado era, e morri de vergonha de ter de encarar a minha família à luz daquela situação. Mas liguei para a minha irmã e ela me deu ânimo e me ajudou a superar a dor da rejeição e a decepção, assim como a arquitetar um plano para cuidar da dívida. Ela ajudou-me a me concentrar em seguir com a vida, e no que era necessário fazer para me reerguer financeiramente e a recuperar a minha auto-estima. Acabei mudando e fui morar com o meu pai, e insisti também em lhe pagar o resto das prestações do carro. Levei seis anos para pagar a dívida toda que aquele babaca deixou, mas valeu a pena porque fiz isso sozinha (apesar de ter sido horrível). O mais importante foi que aprendi (do modo mais difícil) que o amor não pode depender do que podemos fazer por alguém. Eu tenho um emprego ótimo, amigos maravilhosos, um pai muito generoso e carinhoso e algumas economias agora. Ouvi dizer que o meu ex está trabalhando numa loja da Banana Republic, em Connecticut.

Gabby
Seattle, WA

Terceiro Mandamento
(ou Algo que você deveria considerar seriamente)

LIVRE-SE DE TUDO QUE É DELE e de todas as lembranças dele

"Mas há muitas lembranças boas junto com essas coisas também." Ótimo, então você vai gostar delas ainda mais quando redescobrir as coisas dele daqui a cinco anos. Neste momento a prioridade é transformar sua casa em um centro de recuperação, em vez de uma câmara de tortura do tipo "Mas ele tinha os olhos mais lindos". O fato é que esse processo implica curar-se dele, e livrar-se de todas as coisas que estão sempre fazendo você se lembrar do passado, como fotos, roupas, aquele CD mix cafona que ele fez para você. Tudo isso não passa de um monte de coisas que atrasam a sua vida. E você não tem tempo para isso! Você precisa se distanciar de todas as lembranças, entender que são apenas bens materiais e tirá-los do seu mundo por algum tempo.

Assim que o relacionamento termina, a primeira sensação que você tem é de solidão. Há um vazio, um nada. É como ser jogada de um barco num lago gelado. Você afunda e fica encurralada pela sensação de choque que não consegue afastar de jeito nenhum. Achamos que a única maneira de combater o fogo é com fogo ou, mais especificamente, combater uma sensação com outra sensação. Por isso vamos combater "solidão" com "diferente", fazendo com que tudo que a cerca pareça diferente, em vez de vazio. Nós dizemos, vamos virar esse lugar de cabeça para baixo.

A primeira coisa que você precisa fazer é encaixotar todas as coisas dele imediatamente, e também qualquer outra coisa que a faça lembrar demais dele. Seja rígida quanto a isso, mas razoável também. Não vamos empacotar todos os copos porque ele adorava suco de laranja, mas as fotografias de vocês dois nos porta-retratos, a escova de dentes e artigos de banho dele e os CDs têm de ir para as caixas. Confie em nós quanto a isso. Especialmente o CD do Puddle of Mud. Depois de embalar as lembranças do seu relacionamento é hora de sair de casa, literalmente. Você sabe o que dizem: "O que os olhos não vêem, o coração não sente." E quando se livrar de todas essas coisas que lembram seu ex, você terá criado espaço para todas as maravilhosas coisas novas que virão.

A segunda parte na criação do ambiente para dar uma sensação diferente e não de vazio é a de reposicionar e redecorar. Não estamos dizendo que você tem de sair e gastar um monte de dinheiro para comprar coisas novas. Apenas mude tudo de lugar. Talvez possa pintar uma ou duas paredes. Ponha o seu sofá no outro lado da sala, mude o ângulo de todos os móveis e pendure os quadros em paredes diferentes. Troque as cortinas da sala de estar com as do seu quarto (não ponha papel laminado nas janelas – é o contrário do que deve ser feito). Compre um jogo novo de lençóis, mova a cama para um outro canto do quarto e passe a dormir no outro lado dela. Esvazie todos os seus armários e gavetas e troque as coisas de lugar. Queremos o diferente com D maiúsculo mesmo. Quando você acordar no meio da noite para ir ao banheiro, deve dar uma canelada em alguma coisa porque o caminho mudou radicalmente. E será uma sensação ótima depois que a dor passar e você parar de nos xingar por termos dado a idéia da mudança. Ao tornar seu ambiente diferente, você está dando novas pistas externas para você mesma que devem provocar sentimentos diferentes. E qualquer coisa *diferente* de solidão e de coração partido é um passo gigantesco na direção certa. É uma outra maneira de pôr o comportamento na frente dos sentimentos, como mencionamos no capítulo três. Adotando o "diferente" você está se afastando da dor. Mesmo que isso signifique canelas roxas.

COMO É QUE EU VOU FAZER ISSO?

Primeiro, você vai chamar sua amiga do fim do relacionamento para uma reunião de encaixotamento. Abra uma garrafa de vinho ou embalagem de seis latinhas de Pepsi diet e peça uma pizza, pegue uns CDs maravilhosos e transforme isso num acontecimento. Arrume algumas caixas diferentes. Uma para qualquer coisa valiosa dele que deve ser devolvida (roupas, aparelhos eletrônicos etc.), outra com fotos, presentes e lembranças do tempo que ficaram juntos, e a última com coisas para jogar fora (como o cortador de unhas dele... eca!). Não jogue fora as coisas dele, porque, por mais aborrecida que possa estar com o seu ex, é melhor ser magnânima. Vai se sentir bem melhor com essa atitude a longo prazo.

A sua amiga e acompanhante da separação deve se responsabilizar pela devolução da caixa com as coisas mais valiosas, porque você ainda está na sua fase de desintoxicação de ex de sessenta dias. A caixa NÃO é uma desculpa para vê-lo, é apenas uma caixa. As coisas com a marca "lixo" podem ir direto lá para fora, para a lata de lixo mesmo. Quanto à caixa que contém todas as lembranças do seu relacionamento, você vai fechar com fita adesiva e dar para a sua amiga guardar. Sua amiga ficará com ela enquanto você estiver tratando do seu sofrimento, e ela resolverá quando, ou se, você a terá de volta. Lembre que a sua amiga do fim do relacionamento gosta de você, e que nós também gostamos. Agora dê a caixa para ela! Se, no momento, você não tem uma amiga para acompanhá-la na sua desintoxicação, leve a caixa para a casa dos seus pais. Se eles moram em outra cidade, faça a remessa por Sedex. Ou ponha na sua garagem, ou num cômodo que não seja muito usado. Ora, você pode até alugar um depósito, ou cavar um buraco no quintal! Qualquer coisa. Apenas livre-se dela.

O SUPERLIVRO DA SUPERAÇÃO
DA MULHER INTELIGENTE

Depois de livrar-se de todas essas lembranças desagradáveis e reorganizar o seu espaço, pare um pouco. Sente-se com seu caderno e examine seu novo ambiente. Escreva as primeiras impressões que tiver desse novo espaço. O visual. Como você se sente nele? Sua perna ainda dói de tanta canelada no meio da noite? Você tem a sensação de realização e que fez algo de bom por você mesma? Devia! Escreva o que sente quanto ao modo que quer que sua vida se desenvolva a partir deste momento. Mas o segredo é esse: o ambiente da sua casa deve indicar que você já está vivendo a sua vida nova e diferente.

CARA, EU SEI O QUE VOCÊ ESTÁ PENSANDO

GREG

Um certo dia, depois que nos separamos, alguns amigos novos e eu estávamos conversando e tomando café. O assunto era: "Qual o clichê mais cafona que pauta a sua vida?" O meu era "O que arde, cura", ou alguma variação besta disso, porque eu ainda vivia o processo de trabalhar os restos da minha dor-de-cotovelo. Mas então Doug, ex-jogador de futebol americano/às vezes ator/barman em tempo integral e meu confidente, disse: "Cama desarrumada, cabeça embaralhada." Ah é? Cama desarrumada, cabeça embaralhada? Isso é historinha para criança? Todos nós rimos disso, mas não deu outra: no dia seguinte olhei para o meu futon quando saía de casa e pensei: "Cama desarrumada, cabeça embaralhada." E foi como se uma tonelada de tijolos desabasse na minha cabeça. O caos da minha cama desarrumada, o meu quarto, o meu apartamento todo, aliás, estava diretamente ligado aos caos na minha cabeça. Era como se eu estivesse no meio do meu cérebro desarrumado. As contas atrasadas, a roupa suja, as coisas inúteis que eu arrastava comigo de um apartamento para o outro. Roupas que nunca mais ia usar e todas as coisas *dela*. Tinha montes de coisas dela. Quando estou curtindo alguém, gosto de ter coisas desse alguém para lembrar dela, especialmente porque viajo muito e gosto de ter fotos ou alguma coisa qualquer para levar comigo. Mas ter as coisas dela ali depois da separação não era consolo nenhum, era só sofrimento. Até suéteres meus que ela havia usado muito... aquilo era demais.

Então eu fiz uma coisa muito estranha. Comecei a jogar tudo no chão. Era hora de cuidar de todo aquele lixo. Esvaziei as gavetas e as caixas. Tirei tudo das prateleiras e dos armários. Acho que pensei que se estivessem no chão eu teria de tomar alguma providência.

Quarenta e cinco minutos depois, tudo o que eu tinha estava no chão do meu apartamento. ABSOLUTAMENTE TUDO. Então saí, arrumei umas caixas e alguns sacos de lixo. Bem, estou certo de que você pode adivinhar o que eu fiz depois. "Pôs as caixas em fila e brincou de trenzinho?" Não. Bem, sim, mas depois fiquei sério. Comecei a fazer cortes. Fui me livrando das coisas que não usava mais. Livrei-me de roupas que sempre disse que ia usar no futuro, mas nunca usei, revistas que guardava porque gostava de uma foto da Gwen Stefani, ou por algum outro motivo que não lembro mais. Queria um pouco de clareza. Encontrei montes de coisas que nem sabia que tinha, e isso queria dizer que não sentiria falta delas quando as jogasse fora. As coisas que não joguei fora pus em ordem. Guardei uma caixa com coisas do nosso relacionamento e outra para as coisas dela que ia devolver. Dei uma boa e demorada olhada em mim mesmo, joguei fora tudo que não servia mais, guardei as que serviam, entretanto, o mais importante foi que criei espaço para as coisas novas e maravilhosas que viriam. Entre essas coisas estavam uma carreira, uma namorada e algumas camisas muito maneiras.

SITUAÇÕES ESPECIAIS

"E se nós moramos juntos?" Bem, então a sua reunião de encaixotamento pode ser dupla agora, não? Quando o casal tem de dividir suas coisas, a nossa filosofia é "pegue o que você precisa e deixe o resto". Nós sabemos que para atender ao desejo de vingança a vontade é de levar tudo para machucar a pessoa que partiu seu coração. É certamente uma coisa que passa pela cabeça e que às vezes parece uma boa maneira de dizer f#*+-se. Mas, se levar tudo você vai acabar rodeada de lembranças dele e da sua antiga vida. É como se autocondenar a uma sentença numa prisão mental. Agora pode até não parecer, mas pode acreditar. Dá uma sensação de liberdade ir embora com o mínimo possível e recomeçar do zero. Deixe que ele fique com toda a bagagem!

DIA DE ARRUMAÇÃO

É você quem decide o que vai e o que fica, mas só vai se beneficiar se for absurdamente honesta com você mesma quanto aos itens que mexem com os seus sentimentos. Eis uma lista para ajudar a começar a seleção.

Devolver ao remetente (caixa dele)

1. *Os CDs dele. Quantas vezes você vai ouvir Staind, afinal?*
2. *O iPod dele, laptop, câmera digital e qualquer outro item de valor. A não ser que ele lhe deva dinheiro, e nesse caso um leilão de coisas usadas na internet é uma boa alternativa.*
3. *Todas as roupas dele, até a camiseta usada do Rage Against The Machine que você gostava de usar para dormir.*
4. *A foto dele quando era bebê que a mãe dele deu para você, ou qualquer herança emprestada do patrimônio da família dele.*
5. *A aliança de noivado.*

Isso é para guardar (sua caixa)

1. *Fotos, cartas de amor e cartões de aniversário. É sempre ótimo ter lembranças dos bons tempos. Nós achamos que foram bons tempos, já que as pessoas raramente tiram fotos das brigas. As cartas e cartões podem ser divertidos para ler mais tarde, por isso amarre todos com uma fita e escreva em cima "Não abrir até estar casada há quinze anos!".*
2. *Todas as outras jóias e presentes. Você devolveu a aliança de noivado – tem direito a todos os outros benefícios.*
3. *A fita de vídeo com vocês dois fazendo sexo. Não vai querer que isso acabe na internet ou como a diversão do intervalo da próxima reunião dele depois da final do campeonato de futebol.*
4. *Qualquer coisa com potencial para virar material de chantagem, para*

o caso dele não ser, afinal, um cavalheiro. Exemplo: uma foto em que ele está agarrando o seio de uma stripper na despedida de solteiro do irmão dele em Las Vegas.

5. *Qualquer coisa que ele tenha feito para você. Afinal, ele fez o esforço de ir àquele ateliê de pintura em cerâmica, tipo "faça-você-mesmo-o-seu-presente".*

Lixo direto (saionara!)

1. *Escova de dente, barbeador, suporte do barbeador e o Hairsink. Todas as provas de que ele costumava passar a noite na sua casa.*
2. *Os filmes pornô dele.*
3. *Cuecas e meias dele. Esses não contam mesmo como roupa, para nós. Além do mais, ele tem sorte de estar recebendo as outras coisas dele.*
4. *Os pesos, o suplemento alimentar protéico, suplementos para aumentar a massa muscular e a pilha de revistas* Men's Health *da onda de duas semanas de malhação dele.*
5. *O Palm Pilot dele ou caderno de endereços. Opa! Desculpe essa.*

AS PESQUISAS INFORMAM

"Tudo me faz lembrar dele. Todas as músicas no rádio, todos os programas na TV, cada bisnaga de pão, qualquer geringonça tecnológica, todos os lugares para onde eu vou..." Nem dá para contar o número de vezes que esse tema apareceu nas nossas pesquisas sobre fim de relacionamentos. Se pudéssemos abraçá-la e dar um tapinha nas suas costas e dizer suavemente "Eu sei", nós faríamos isso, porque sabemos mesmo. Nós fomos você no passado. Se tudo faz você se lembrar dele, o melhor modo de superar isso é mudar tudo à sua volta. Se o ambiente ficar diferente, você vai se *sentir* diferente, e isso é bom.

Admita: toda vez que olha para aquela foto de vocês dois juntos, é como uma pontada elétrica de dor. Então pare com esse masoquismo! Viva de acordo com o preceito "Nada de sofrimento desnecessário", e crie uma paisagem para a sua vida que faça com que você se sinta ótima.

E você pensava que o fim do seu namoro tinha sido péssimo!

Alguns anos depois de terminar a faculdade, conheci um fotógrafo europeu gatíssimo e me apaixonei loucamente. Viajamos pelo mundo todo, ficamos noivos em pouco tempo e resolvemos dividir nosso tempo entre a casa dele na Itália e os Estados Unidos. Nós nos casamos na Itália e passamos os primeiros seis meses lá. Então encontramos um apartamento maravilhoso no Village, em Nova York. A nossa vida era o máximo. Ele estava trabalhando no projeto de um livro e viajava muito, por isso estava sempre longe, às vezes meses, enquanto eu começava a construir minha carreira. Como nossa situação era internacional, eu não podia pegar um emprego fixo, mas nem me importava porque estávamos conversando sobre ter filhos logo e ele queria que eu viajasse mais com ele, por isso um emprego tradicional teria impedido isso. Depois do onze de setembro e perto do nosso primeiro aniversário de casamento, ele sugeriu que nos mudássemos para Los Angeles. Então, enquanto ele viajava para a Itália, para passar alguns meses lá, eu me mudei para Los Angeles para encontrar uma casa para nós. Não passamos nosso primeiro aniversário de casamento juntos, nem o meu aniversário, que foi dois meses depois. Quando tive de fazer uma cirurgia de emergência não foi o meu marido que pegou um avião para ficar ao meu lado, foi o meu pai. Eu ignorava a ausência do meu marido porque ele estava trabalhando com prazos muito apertados e estava longe de-

mais, mas parecia que os planos dele de vir para Los Angeles se encontrar comigo estavam sendo sempre adiados.

Finalmente tinham passado quatro meses desde a última vez que nos vimos. Eu acabei dizendo para ele que tinha de voltar, senão eu ia para lá, porque não era assim que eu imaginava que a nossa vida de recém-casados seria. Ele concordou comigo e pegou um avião naquela semana mesmo. Fizemos uma lista de uma dúzia de casas para ver e fomos comprar um carro. Resolvemos a casa e compramos o carro. Então ele me disse que não queria continuar casado. Não tinha interesse nenhum em aconselhamento de casais, nem pensava em testar nossa vida a dois no mesmo país como forma de ajudar o nosso casamento. Ele tinha descoberto que gostava de ficar sozinho, coisa que gostaria que ele tivesse investigado antes de entrar na igreja comigo e de eu ter desistido de alguns anos da minha vida para ficar com ele. O divórcio foi rápido e a situação toda muito confusa. O estranho foi que o meu sofrimento durou pouco, provavelmente porque já estávamos longe um do outro havia quatro meses, o que reduzia bastante o choque. Por isso, segui com a minha vida e usei muito bem o meu diploma para conseguir um emprego que me animava bastante. Comecei a namorar de novo, e quem você acha que apareceu na entrada da minha casa no dia do meu aniversário no ano seguinte, querendo tentar de novo? Eu disse para ele abrir o porta-malas enquanto eu juntava umas coisas. Então, peguei as caixas com as coisas dele que entupiam o meu armário da entrada, enchi a mala do carro dele e mandei que pegasse a estrada! Ele ficou completamente atônito, e eu tive uma ótima festa de aniversário.

Nina
Los Angeles, CA

Quarto Mandamento

(ou bom conselho de um casal de espertinhos)

LEVANTE O RABO DA CADEIRA TODOS OS DIAS

"Por que você tem de incluir o meu rabo nessa conversa?" Porque já é hora de pô-lo em movimento. Vamos encarar os fatos, um dos efeitos colaterais do fim de um relacionamento é uma abundância de tempo recém-descoberto, que se não for bem usado pode se transformar na sua derrocada. Você precisa de um impulso para avançar pelo processo do fim do relacionamento e a única maneira de se manter em movimento é primeiro entrar em ação. Para começar, vamos recomendar que simplesmente saia de casa todos os dias. Lembra-se do sol? Dê uma caminhada, leve seu coração partido ao cinema, ou simplesmente pegue o carro e vá dar uma volta. Não pare de se mexer. Quando você fica cercada por horas vazias que costumavam ser preenchidas pelo antigo relacionamento, é muito mais fácil ficar desmotivada do que se animar com todas as coisas boas que podem encher seus dias. As pessoas tendem a ficar introvertidas quando estão feridas, e a reação natural é se enfiar na toca e sentir pena delas mesmas. Mas o segredo para transformar a separação numa superação em grande estilo é lutar contra a inércia com atos contrários a ela. Quando sentir a necessidade de se encolher na cama, é sinal de que precisa chamar uma amiga e criar um plano que a force a sair de casa. Em vez de ficar sentada pelos cantos, toda triste e derrotada, você deve fazer alguma coisa que lhe dê a sensação de força e resistência de novo. É aqui que entra a atividade física.

Você quer ser uma guerreira na separação? Por que não experimenta alguma coisa que a faça sentir-se forte, como kickboxing ou artes marciais? Você alguma vez já viu seu reflexo numa parede cheia de espelhos dando chutes em meia-lua e um par de jabs? Por falar em ter poder, que tal ioga? Parece uma aula relaxante de alongamento, mas faça a metade de uma e vai pensar que se alistou como fuzileiro naval. É muito gostoso enfrentar um desafio assim, especialmente quando passou o dia anterior assistindo à TV embaixo das cobertas. Você precisa se ligar de novo, literal e figurativamente, e receber uma descarga de energia física é um ótimo ponto para começar.

Cada dia que cuidar de você será uma pequena vitória, e é isso que estamos querendo aqui. Não quer experimentar kickboxing ou ioga? Tudo bem. Nós dizemos para fazer ioga não porque todo mundo faz, mas porque você tem se sentido muito mal ultimamente e queremos que faça alguma coisa para se sentir bem. Caramba, pode odiar a aula, matar a aula, o que quiser, mas apenas vá até lá e depois desista, se isso a fizer se sentir melhor. O simples ato de ter um lugar para ir, de traçar um plano e depois realizá-lo, fará maravilhas pela noção de ter um objetivo determinado.

A sua "superação em grande estilo" não precisa incluir exercícios, mas podemos afirmar que essa é uma das melhores jogadas para dar a partida no seu processo de cura. Quando você se exercita, além de se sentir forte e realizada, suas idéias ficam mais claras e a concentração aumenta. Você interrompe aquelas reviravoltas obsessivas no cérebro de ficar perguntando "por quê, por quê, por quê?" se estiver concentrada em continuar pedalando sua bicicleta mais duzentos metros. Você vai transpirar toda a tensão física e o estresse que devem tê-la deixado tão travada. É uma das poucas coisas na vida que realmente dão a sensação de reconstrução, e, além disso, deixam você mais bonita! Vai limpar os poros, fazer o sangue circular mais nas veias, e talvez até cortar um pouco da tristeza na sua cintura. Se freqüentar a academia não é sua praia, não faz mal, é só escolher alguma coisa para fazer fora de casa (como se bronzear... pelo menos você foi lá para fora!), e, como já dissemos... levante o rabo da cadeira. Balance, rebole, simplesmente mexa-se e saia por aquela porta!

COMO É QUE EU VOU FAZER ISSO?

Não crie objetivos ambiciosos demais e não se recrimine. Escolha metas pequenas e alcançáveis. Não estamos querendo dizer que você vai se sentir ótima logo no início, porque criar esse impulso a partir da inércia dá trabalho e exige tempo. Faça um pacto com você mesma, escreva e assine um contrato, ou apenas largue este livro agora mesmo e vá lá para fora, ande pela rua e tome um café. Resolva fazer alguma coisa todos os dias para se sentir mais forte, melhor e para cair no mundo. Faça uma lista de lugares para ir, coisas para fazer, pessoas para encontrar, tarefas para cumprir, exposições de arte para ver (poderia acontecer), shows de rock e filmes a que você quer assistir, ou vá dançar, ou faça um curso de culinária, tricô ou tae kwon do. Depois escolha uma dessas atividades todos os dias e faça. Lembre que esse tempo é seu e que faz o que quiser com ele, por isso aproveite-o de forma criativa. Siga seus caprichos e instintos, desde que eles não a levem de volta ao sofá de casa.

Pare um pouco agora para pensar no tipo de relacionamento que gostaria de ter na próxima vez. O ideal é que seja completo e cheio de atividades que você gosta, experiências enriquecedoras e que acabe fazendo de você uma pessoa melhor. Agora vá curtir esse relacionamento com você mesma, poderosa. Além disso, você precisa ter a sua vida, porque quando realmente encontrar o próximo cara e ele perguntar quais são os seus interesses, não vai querer responder "Meu ex-namorado".

O SUPERLIVRO DA SUPERAÇÃO DA MULHER INTELIGENTE

Pegue o seu caderno (pode resmungar à vontade) e faça um inventário sincero de todas as coisas que deixou escapar no seu relacionamento. Todas as coisas que estragou, não teve tempo para, não podia fazer porque o seu ex não queria, e assim por diante. Ponha na ordem por importância para serem realizadas... depois risque tudo isso e faça as que parecem mais divertidas primeiro.

CARA, EU SEI O QUE VOCÊ ESTÁ PENSANDO

GREG

Eu não conseguia andar um quilômetro e meio. Não estou brincando. Quando finalmente resolvi dar meia-volta com o desastre do pobre de mim que era a minha vida e ir para a Felicidadesópolis, eu pesava 112 quilos. Estava gordo, cansado e completamente fora de forma. O meu objetivo: abotoar minha calça para não ter de usar sempre a camisa para fora. Não estava querendo ter o físico do Brad Pitt no Clube da Luta, queria apenas ser capaz de respirar enquanto subia a escada até o meu quarto. Depois de meses pensando nisso, finalmente um dia me paramentei todo com meu conjunto de moletom e saí porta afora. "Uns três quilômetros devem bastar", pensei. "Hoje vou me tornar um corredor." Bom, eu quase caí duro a um quarteirão e meio de distância de casa. Foi um desastre total. Parecia que meus pulmões sangravam, eu via manchas do nada e pensei que o ácido lático ia espirrar das minhas pernas. Queria chorar. Estava com trinta e três anos de idade e não conseguia correr nem cem metros. Mas naquele momento aconteceu uma coisa estranha. Eu continuei avançando. Andei, andei, andei e andei. E então, no dia seguinte, saí para andar de novo e depois de novo, e de novo, e de novo, e de novo. E logo eu era capaz de andar e correr bem devagar, depois consegui só correr devagar o tempo todo e por fim comecei a correr. Nunca tive um plano quando saía de casa. Nunca uma distância ou tempo determinados. Não tinha outra meta senão sair de casa de moletom. E voltar. Acho que isso era um objetivo, sim.

SITUAÇÕES ESPECIAIS

"Fico muito ocupado com o meu trabalho e quase não tenho tempo para mais nada. Ir trabalhar não conta como 'se mexer'?" Isso depende. O seu trabalho enriquece a sua vida? Você se sente mais forte e mais realizada fazendo isso todos os dias? Está se movendo para superar a dor da sua separação, ou está simplesmente adiando o dia em que terá de encarar isso por causa de uma sobrecarga de trabalho? Se não puder ter alguma atividade física moderada todos os dias, se o seu horário impede totalmente isso, então determine objetivos mais viáveis. Que tal nos fins de semana? Pode dedicar algum tempo para você nos sábados? À noite? Nos feriados? Estamos falando aqui de você se forçar a dedicar um tempo para VOCÊ. É óbvio que quanto mais tempo investir, mais rápido vai sair dessa. Empregos são muito importantes sim, mas você é a sua prioridade neste momento, por isso arrume algum tempo quando puder.

AS PESQUISAS INFORMAM

Mantenha-se ocupada! É isso que todo mundo diz que ajudou para superar o Vietnã de cada um. É claro que um número imenso das pessoas pesquisadas citou beber socialmente como a atividade principal. Não condenamos beber socialmente, mas gostaríamos de aproveitar para dizer que achamos que há coisas melhores a fazer para obter a perspectiva e o impulso necessários. Como já tratamos, a perspectiva que você obtém com tequila é muitas vezes distorcida, e não faz necessariamente com que você se sinta melhor com você mesma na manhã seguinte. Mas exercícios físicos alcançaram um segundo lugar apertado e oferecem a recompensa dupla de se sentir realizada e de ficar sarada. É por aí, meninas! Muitas também aproveitaram o fim do relacionamento como oportunidade para reavaliar suas vidas e o resultado foi que acabaram fazendo grandes mudanças em suas carreiras profissionais. Outras descobriram novos hobbies e atividades, como surf, cozinha vegetariana e paisagismo. Uma garota muito empreendedora até fundou a própria empresa de confecção de álbuns decorados. E outras duas pessoas que conhecemos usaram sua experiência, força e esperança para escrever este livro (nós).

E você pensava que o fim do seu namoro tinha sido péssimo!

Meu namorado pediu para eu viajar nas férias com ele depois de estarmos juntos há mais ou menos seis meses. Estava tudo ótimo e aquilo parecia um grande passo, por isso fiquei muito animada. Pesquisamos lugares tropicais, conversamos com agentes de viagens e acabamos escolhendo Cancún como destino da nossa primeira viagem juntos. Planejamos tudo com dois meses de antecedência e quando nossas férias estavam chegando, ele disse a frase mágica: "Eu te amo e quero passar o resto da vida com você." Os amigos dele que tinham dito que ele nunca foi do tipo casadouro tiveram de engolir suas palavras e me dar os parabéns por ser a única a deixar o eterno solteiro de joelhos. Eu estava completamente apaixonada e mal podia esperar por aquelas férias românticas com o meu futuro marido.

Uma semana antes da viagem para Cancún, eu encontrei por acaso a ex namorada dele, que já tinha encontrado outras vezes antes, porque eles continuaram amigos. "Encontrar por acaso" não é a expressão correta, já que ela havia ligado para o meu escritório e descoberto onde eu ia almoçar. Ela se aproximou de mim decidida, entregou um envelope e disse: "Bem, acho que você venceu." Eu não tinha a menor idéia do que ela estava dizendo, mas abri o envelope e encontrei passagens de avião para ela e para o meu namorado e um pacote que incluía tudo para exatamente a mesma viagem que íamos fazer na semana seguinte. Ela explicou calmamente que ele estava tentando decidir com qual das duas queria viajar e que tinha planejado viagens idênticas com nós duas. Eu fiquei abismada, mas parecia que além de saber de tudo desde o início, ela também estava confiante de que ele ia voltar para *ela* e que os dois iam fazer aquela viagem. Telefonei para o meu namorado e cobrei dele essa história, ele usou a defesa do "Eu estava confuso" e me convenceu de que tinha sido um lapso passageiro, e que eu era a mulher da vida dele. Ele não tinha o hábito de ter boas coisas na vida e por isso sabotava os relacionamentos. Como a idiota mais completa eu perdoei e parti de férias com ele na semana seguinte.

Nós nos divertimos muito e pusemos nosso relacionamento de volta nos trilhos. Meses depois, ele me pediu em casamento oficialmente e eu aceitei. Não tínhamos ainda começado a planejar o casório quando a ex namorada dele, famosa pela viagem em duplicata, me descobriu de novo para me contar que eles andavam se encontrando e transando de novo! Fiquei arrasada, mas muito mais furiosa. Disse que ela podia passar no meu escritório para pegar a aliança, porque estava mais capacitada para usá-la e para lidar com as mentiras dele, mas também porque era óbvio que era isso que ela queria. E sabe o que aconteceu? Ela apareceu mesmo para pegar a aliança! Eu não sei se eles dois voltaram a namorar oficialmente, mas eu parti para outra, primeiro me distanciei daquele bizarro triângulo amoroso no qual não sei como acabei me metendo, e depois iniciei algumas atividades que não tinha experimentado antes. Algumas foram ótimas, como alpinismo, e outras não funcionaram, como dança de salão. A que foi mais prazerosa foi a de trabalho voluntário, porque enquanto ajudava a minha comunidade, acabei conhecendo minha alma gêmea que era honesto, leal e monogâmico, e hoje temos uma vida ótima, com dois filhos. Às vezes não consigo acreditar no que eu quase me meti!

Lydia

Nashville, TN

QUINTO MANDAMENTO
(OU BOM PARA PENSAR)

Não vista o fim do seu relacionamento PARA SAIR PELO MUNDO

"Bem, então o que eu devo vestir?" Uma blusa, calça comprida, ou talvez uma bela saia, é sempre mais seguro. Ou, que tal um pouco de segurança? Segurança sempre fica bem com tudo. Nossa opinião é que, quando você sai para o mundo, o modo com que se apresenta é uma projeção de como a sua vida é, de como é a sua cabeça. Se a sua vida está desmoronando e você está completamente deprimida, é natural não se importar com a sua aparência. E por que deveria? A vida se transformou num excesso de tristeza que apaga todo o resto, certo?

Errado. Tire a sua calça de vítima. O que tem a seu favor é que você é uma super-heroína na estratosfera da separação, que está passando pelo processo de se reinventar. Nesse momento de crise e sofrimento, você precisa se apoiar no futuro onde você está inteira, curada, e é a versão mais poderosa de si mesma que qualquer pessoa (inclusive você) já viu.

Não sair pelo mundo vestida de fim do relacionamento significa um basta nas choradeiras e escândalos em público. Chega de chorar na sua sala no trabalho, chega de berrar no seu celular, ou de brigar com o seu ex nos restaurantes, enquanto dá os retoques finais no fim da sua união. Não seja a mulher cuja vida espirra em todos no caminho por onde ela passa. Ceder a esse comportamento escandaloso de fim do namoro em público só constrange as pessoas à sua volta e faz com que você pareça uma pessoa instável. Por isso, guarde isso para você e para suas amigas mais queridas depois do expediente, e faça um pacto com você mesma para tentar viver a visão de como quer que sua vida seja. Toda vez que sair de casa, deve fazer um esforço para refletir a pessoa que será um dia, não o invólucro da mulher derrotada que ele abandonou. Transforme essa casca num prato apimentado!

A maneira mais prática de agir é nunca sair de casa com uma roupa que não gostaria que o seu ex visse. Isso se aplica ao blusão sujo e à roupa para passear com o cachorro também. Não queremos dizer que você tenha de se montar toda para qualquer ocasião e fazer uma maquiagem completa. Apenas que o seu exterior deve refletir a metamorfose que está ocorrendo por dentro. Além do mais, hoje em dia fazem roupas para exercícios muito maneiras e até bonitinhas para passear com o cachorro (é por isso que os desenhistas de moda da Juicy Couture estão bilionários!). Que melhor pretexto você precisa para finalmente dar uma geral no seu armário e se livrar de tudo que não usa mais, que não serve mais ou que nunca mais vai voltar à moda? Lembre que essa superação em grande estilo significa você ter confiança em você mesma, o máximo possível. Por que vestiria uma roupa que a fizesse sentir-se menos do que isso?

Quando você vê alguém bem vestido, ou maravilhosamente elegante e na moda, não fica imaginando como será a vida dessa pessoa? A casa dela? O carro? Os amigos? Quando você está bem vestida, projeta a vibração de ser uma pessoa antenada, o que você realmente é. Repetimos que a questão é pôr o comportamento na frente do sentimento. Quando você se veste de modo a sentir que está realmente atraente e bonita, você projeta a segurança e a integridade pelas quais está batalhando. Essa separação e o período de recuperação são uma queda, não são um estilo de vida que você escolheu, e devem ser tratados como isso mesmo. Não afunde mais no poço do desespero usando a roupa da menina triste que levou um fora do namorado (a não ser que vá até o fim e abra uma loja de roupas chamada "Abandonada", cheia de peças largas e tristes). O fato é que, se estiver bem vestida, deve sentir-se bem. Então arrume-se para vencer! Deixe as pessoas espantadas utilizando bem esse momento de transição. Sabemos que você talvez não acredite nisso agora, mas esse fim de relacionamento é a melhor coisa que já lhe aconteceu, porque ele não era "O Cara". Então por que não deve se vestir bem para essa ocasião? Porque, vamos e venhamos, a vingança é um prato que se serve QUENTE! E a melhor vingança é viver bem, estar satisfeita consigo mesma e projetar esses sentimentos para o mundo todo.

COMO É QUE EU VOU FAZER ISSO?

Este pode ser o mandamento da superação em grande estilo mais fácil de implementar no seu dia-a-dia. Não requer muito autocontrole para estabelecer os limites do seu período de luto, que são bem simples como

"Não vou perder o controle em público hoje e vou usar uma roupa que me deixe bonita". Levando em conta que nas páginas anteriores pedimos para você mover montanhas maiores, isso deve ser moleza. Você tem um armário que tem mais roupas lindas do que deprimentes, por isso escolha uma!

Ainda está pensando como vai projetar segurança e integridade quando o seu mundo está desmoronando? A nossa pergunta é: "Como pode não fazer isso?" Você só tem a si mesma agora, por isso tome providências para se sentir ótima. Mesmo se suas melhores roupas são uma calça jeans, sandálias de dedo e uma camiseta, transforme isso no seu jeans favorito, que deixa seu traseiro empinado e na sua camiseta mais bonita, que ilumina seus olhos. Mude o corte de cabelo, vá ao setor de cosméticos da loja de departamentos mais próxima da sua casa, faça uma maquiagem discreta e compre um novo *gloss*, mergulhe no mundo das lentes de contato ou da cirurgia com laser para miopia, compre um novo par de óculos escuros e pregue um sorriso no rosto quando sair por aí, porque você é uma guerreira do fim do relacionamento que está até impressionando muito a si mesma! Já dissemos isso antes e vamos dizer de novo: *arrume-se para vencer*. Guarde a foto do "Depois" da sua superação em grande estilo na cabeça e seja a mulher que provoca esse tipo de observação das pessoas: "Parece que perder aquele namorado foi a melhor coisa que já aconteceu na vida dela!"

O SUPERLIVRO DA SUPERAÇÃO
DA MULHER INTELIGENTE

Pegue o seu caderninho, uma tesoura, fita adesiva ou cola e todas as revistas da sua mesa de canto e que estão espalhadas pela casa. Corte imagens de coisas, pessoas ou roupas de que mais gosta e grude ou cole no seu caderno. Talvez possa até escrever uma observação ao lado de cada imagem, explicando por que as considera inspiradoras. "Que ótimo, depois quer que eu faça a decupagem de uma moldura? Ou será que devo desenhar um *Smiley* sorridente nas costas da minha mão?" Só se você quiser. O objetivo deste exercício é que, quando você abrir seu caderno toda manhã para escrever nele, seja capaz de se lembrar do ideal que aspira alcançar. E, talvez, pelo fato de ver sempre essas imagens, você se inspire para fazer suas escolhas e agir no sentido de chegar mais perto do seu objetivo.

CARA, EU SEI O QUE VOCÊ ESTÁ PENSANDO

GREG

Sempre admirei quem tem estilo para se vestir, mas nunca tive nenhum, talvez porque gastasse todo o meu dinheiro com atividades extracurriculares, ou com ela. Além disso, a minha separação ocorreu na época do grunge, por isso estava na moda parecer que você tinha acabado de ser expulso do Alice in Chains. Descobri logo que era hora de mudar, especialmente se eu queria algum dia encontrar outra mulher. Demora um pouco mudar sua aparência física. Não esqueça que eu estava me empenhando na corrida. Roupas novas, no entanto, você pode comprar hoje mesmo. Então fui fazer compras. Não tinha muito dinheiro, por isso procurei as pontas de estoque e liquidações. Enquanto fazia minhas compras, percebi que estava tendo dificuldade porque tinha todas as manias do que se deve e do que não se deve usar. Mitos que havia criado sobre o que ficava e o que não ficava bem em mim, que acabaram me reduzindo a uma camiseta preta, calça jeans e botas de motociclista. Não sei o que eu tinha contra camisas de mangas compridas, elas nunca me fizeram mal algum... só aquela que socou a minha irmã. Mas de novo eu percebi que meu jeito antigo de fazer as coisas não me levava a lugar nenhum. Então, comprei duas camisas de manga comprida (eu sei o que você está pensando – "temerário!"). E não estou mentindo: o simples fato de usar uma camisa social para sair à noite já faz com que as pessoas notem. "Ei, você está ótimo", comentou um velho amigo. "Você deve estar melhor." Eu já ia dizer "Não, estou apenas usando uma camisa social", mas, de repente, eu realmente me senti melhor. Algumas pessoas acharam que eu *parecia* melhor e, com isso, eu realmente me *senti* melhor. Sinceramente, eu me lembro daquele momento porque foi a primeira vez desde o fim do meu relacionamento que me senti bem de verdade comigo mesmo. Estava finalmente caminhando para o outro lado, para longe da dor. "É, eu me sinto ótimo", foi o que respondi. E sabe de uma coisa? Ainda tenho aquela camisa até hoje. Eu mesmo lavo. Na verdade, é uma das favoritas da minha mulher, então deve ser bonita.

SITUAÇÕES ESPECIAIS

"E se eu já me visto bem o tempo todo?" "E se engordei um pouco e nenhuma roupa boa me serve mais?" "E se não tenho corpo bom?" Bem, você precisa se adaptar da melhor forma possível. Se já está atingindo todos os limites, ponha a barra mais para cima. Desencave as suas jóias boas e faça uma rotação diária, ou corte o cabelo e faça luzes – algo um pouco diferente com que se sinta bem e que a faça mais bonita. Se está entre dois tamanhos de roupa, compre umas roupas de ginástica bonitas e leve seus pneus para a academia. Se conseguir ficar bonita enquanto faz algo positivo, podemos jurar que vai se sentir muito melhor. Se não acredita em nós, vista sua roupa mais sem forma e sem graça, aplique uma pomada para espinhas no rosto e vá ao mercado. Vai mesmo querer nos convencer de que não faz a menor diferença? Não inaugure seus dias entocada. E tem mais, você nunca sabe quando o novo Cara Certo vai aparecer...

AS PESQUISAS INFORMAM

Existem duas maneiras de superar a dor de uma separação. Você pode esperar que ela acabe sozinha, ou pode pegar essa onda. E, esperar significa exatamente isso, literalmente mergulhar na tristeza, às vezes por anos, até que ela acaba passando e depois não dói tanto (não há nada mais divertido do que ficar de molho no sofrimento). Pegar essa onda é fazer o oposto. Pegar a onda é vestir a roupa de borracha, pegar sua prancha e fazer um esforço para pegar a onda. Em levantamentos e mais levantamentos, as histórias revelaram que as pessoas que se esforçavam para remar e passar a arrebentação atravessaram todo o processo se sentindo poderosas e seguras em relação às suas habilidades para navegar os relacionamentos no futuro. Aquelas que ficaram esperando a dor passar ficaram cheias de ressentimentos pelos anos de suas vidas desperdiçados e ainda lutavam contra a confusão. Sei que continua sendo uma escolha difícil – ficar amargando ressentimentos ou ganhar segurança. O que escolher? Estar sempre bem arrumada é sinônimo de pegar ondas gigantescas. A viagem é dura, mas pelo menos você vai sair bem na foto enquanto avança.

E você pensava que o fim do seu namoro tinha sido péssimo!

Meu noivo e eu começamos a namorar quando estávamos no ensino médio, e ficamos juntos por mais de doze anos. Os lábios dele foram os únicos que eu beijei na vida, por isso vocês podem calcular o que mais desse homem eu... Nós praticamente crescemos juntos, e tínhamos esse relacionamento de contos de fadas. Ele

fazia parte da minha família, eu fazia parte da família dele, e as nossas famílias tinham virado uma só, literalmente, já que fazia tanto tempo que estávamos juntos, e morávamos na mesma cidade. Planejamos uma grande festa de casamento (para 150 convidados), e escolhemos o local da recepção bem próximo à igreja, para podermos seguir em procissão a pé do templo até a casa de festas. Estava tudo perfeito, e meu noivo e eu mal podíamos esperar para sermos marido e mulher.

Uma semana antes do casamento, ele começou a agir de forma estranha, perguntou se eu achava que realmente precisávamos da formalidade do casamento, uma vez que para ele já éramos casados. Pensei que fosse apenas o nervosismo normal com a aproximação da data, mas não dei muita bola. Tivemos muitos jantares e reuniões na semana da cerimônia, pois pessoas de outros estados começaram a chegar e fui apresentada ao resto da família dele (primas em quarto e quinto grau, por afinidade etc.). Havia uma dessas primas que o paquerava o tempo todo, e ele a ela. Era óbvio que devia haver alguma paixão de infância entre os dois, e, apesar da semana logo antes do nosso casamento não ser exatamente o melhor momento para ressuscitar isso, lá estavam eles, olhos nos olhos, trocando olhares e chutando um ao outro por baixo da mesa, como crianças. Que seja, pensei... são família.

Então o nosso ensaio na igreja foi um sucesso, e ele e os padrinhos se encaminharam para o jantar pós-ensaio, enquanto eu e minhas madrinhas resolvemos ir até o salão da recepção para medir a distância a pé e ver se eu precisava de um par de sapatos confortáveis de reserva para o grande dia. Minha irmã, minhas melhores amigas e eu percorremos o caminho de braços dados, encantadas com o fato de estarmos a menos de vinte e quatro horas do meu casamento. Quando chegamos ao salão, tive de ir ao banheiro porque havia bebido champanhe no caminho, então fomos procurar, e encontramos... meu noivo e a prima em quinto grau transando no banheiro! Nem preciso dizer que nossas famílias nunca mais se falaram.

Todos na nossa cidade ficaram sabendo do cancelamento do casamento. Só se falou disso durante meses. E eu me senti humilhada até o último fio de cabelo. No início, nem saía de casa, porque aonde quer que eu fosse as pessoas falavam de mim, olhavam para mim, demonstravam ter pena de mim. Então alguma coisa dentro de mim se encaixou, de estalo. Não sei o que aconteceu, mas de repente consegui enxergar do ponto de vista das outras pessoas e não quis mais que tivessem pena de mim. Quis ser a mulher que as pessoas admiravam por ter dado a volta por cima. Dei um passo para trás e examinei a minha situação. Percebi que era quase engraçado como a minha vida tivesse se tornado ridícula. Eu era motivo de riso, e foi exatamente isso que eu fiz: dei risada. Em vez de chorar, ri até não poder mais. E quando encontrava pessoas falando de mim ou se compadecendo da minha situação, eu simplesmente ria e dizia: "É melhor descobrir isso agora e não numa reunião de família, não é?" Foi uma sensação ótima, porque, apesar de toda a graça dessa frase, ela descreve realmente o que eu vou sentir sempre.

Tabitha
Ontário, Canadá

Sexto Mandamento
(ouça a nossa súplica!)

NADA DE RECAÍDA!

Recomeçar é difícil. Recomeçar mais uma vez é mais difícil ainda. Então, você pode imaginar como é difícil recomeçar uma, duas, três, quatro vezes. É por isso que nós dizemos "Nada de recaída!". Uma recaída com o seu ex impede radicalmente o seu progresso e lança você, rodopiando, de volta ao poço infernal do sofrimento, de onde você lutava desesperadamente para sair. É como reabrir uma ferida que já estava começando a cicatrizar.

O que é considerado recaída? Vai desde uma atitude insignificante como telefonar para pôr o papo em dia (sobre a saudade que você sente dele), até a maior de todas – o sexo do fim do relacionamento – e tudo que tem no meio. Basicamente, qualquer tipo de contato fora dos parâmetros da sua lei de "desintoxicação de ex" de sessenta dias. Não é o fim do mundo, mas uma recaída desfaz rapidamente todo o trabalho que você teve e todo o progresso que fez. E, apesar da sensação poder ser boa, os primeiros segundos, quando você o vê/conversa com ele/começa a abrir o zíper da calça dele, a recaída só serve principalmente para deixá-la totalmente confusa e se sentindo uma merda.

É sempre tentador para as duas partes voltar à cena do crime, especialmente quando se está mergulhado nas águas instáveis do primeiro mês logo após a separação. Você sente falta dele, deseja estar com ele, faz qualquer coisa para vê-lo. Talvez ele também sinta a sua falta, só que não tem intenção nenhuma de voltar. E, sem perceber, você já inventa uma desculpa esfarrapada para aparecer na casa dele, para devolver o abridor de latas dele, por exemplo (ele pode comprar outro, você sabe), e acaba nua, deitada na mesa da cozinha dele. A sua amiga ou amigo do fim do relacionamento está aí justamente para isso: ajudá-la a resistir a essa necessidade imperiosa. Ele ou ela precisa estar sempre alerta para orientá-la nos seus momentos de maior fraqueza e evitar que você se prejudique ainda mais.

Quando você tem uma recaída, afasta-se mais ainda dos seus objetivos de superação, que deviam ser chegar a um lugar melhor, onde você se sente forte, resistente, otimista e inteira de novo. A recaída, além de prover um curso instantâneo de atualização de dor-de-cotovelo, também torna a situação toda desnecessariamente indefinida, confusa. E, quer saber? Não há nada de confuso ou indefinido aí. Vocês dois continuam não combinando, continuam separados, e ele continua seguindo em frente com a vida dele. Nunca é demais enfatizar esse ponto – NÃO VALE A PENA! Por isso procure, a todo custo, não ter essa recaída nessa ladeira escorregadia.

"Mas e se eu tiver uma recaída?" Então trate de levantar e montar no cavalo de novo, vaqueira. Você não descumpriu nenhuma lei, não chutou um cachorrinho, mas fez uma coisa que deve doer um pouco, que foi trair você mesma. Você sabe que é melhor do que isso, e agora conhece a sensação provocada pela recaída. É bem ruim, não é? Então tudo bem, mas não faça mais isso. Recomece no seu primeiro dia dos sessenta da "desintoxicação de ex" e veja se não vai se sair melhor dessa vez.

COMO É QUE EU VOU FAZER ISSO?

Um dia de cada vez, gatinha, um dia de cada vez. Essa tentação de procurar seu ex para saber como ele está, de encontrá-lo para tomar um café, de esbarrar com ele acidentalmente, ou de sucumbir ao tesão de momento porque os dois estão solitários, isso tudo vai persegui-la diariamente. Mas essas vontades são apenas fantasmas do seu relacionamento, sugestões más da voz na sua cabeça que se viciou no passado. Confie em nós quando dizemos que ter uma recaída é cometer um erro que a fará retroceder a um ponto que nem sequer imagina. Quando você cede, vê-se presa ao pior tipo de purgatório de relacionamento – a degradação – porque o fato é que está dizendo para o seu ex que ele ainda pode ter acesso a você SEM as responsabilidades emocionais. Ter uma recaída não significa que vocês dois estão voltando, significa apenas que você rebaixou seus padrões e aceitou a degradação de passar de uma ex- namorada com auto-estima para uma ex-namorada com quem ele ainda pode transar, se quiser. A recaída indica: "Você pode me ter sem nenhum compromisso." A recaída diz: "A minha auto-estima ainda está nas suas mãos." A recaída traduz: "Não faz mal se você não quer mais ser meu namorado. Aceito qualquer migalha que quiser me dar." Não parece você, não é mesmo? É, nós achamos que não. Então, como é que você vai evitar isso? Simplesmente evitando. Ponto final. Por isso, os sessenta dias sem contato nenhum são tão importantes!

O SUPERLIVRO DA SUPERAÇÃO DA MULHER INTELIGENTE

Leve este livro para a copiadora do seu escritório, da biblioteca, da esquina, e amplie o calendário da página 231 em 300%, com algumas cópias. Preencha as datas e marque todos os dias que você passou sem ter uma recaída. Quando chegar a sessenta dias, dê de presente para você mesma um tratamento em um spa ou alguma coisa ótima que esteja à altura de quem você é. Agora, marque todos os dias que passou sem pensar em ter uma recaída, fora o dia em que marcou seu calendário. Quando chegar a trinta dias, compre alguma coisa especial para você. Você é uma grande guerreira do fim do relacionamento!

CARA, EU SEI O QUE VOCÊ ESTÁ PENSANDO

GREG

Como é que uma coisa tão gostosa pode ser tão ruim? Bem, isso não se aplica a todos os vícios? "Mas, Greg, procurá-lo seria muito gostoso agora." Até você desligar o telefone e descobrir que, apesar da sua alegria charmosa, vocês continuam incompatíveis. Olha, eu sei que é difícil, principalmente porque poucos dias atrás você podia tocar nele, revelar segredos para ele, rir com ele, e até vê-lo pelado, e agora, de repente, isso tudo acabou. Mas o fato é que fazer essas coisas com ele depois que o relacionamento terminou é muito, mas muito pior. Por isso não o veja. É carga demais ficar sentada num café de frente para ele, enquanto ele fala da vida que agora não inclui mais você. Cada palavra, cada olhar, cada gesto é uma lembrança de que ele não é mais seu. É pura tortura. Pode confiar em mim, eu já fiz isso. Encontrei as minhas ex para tomar café com a esperança de voltar com elas e o único resultado foi que me senti uma merda. Fiz sexo depois do fim do namoro com a esperança de voltar, e o único resultado foi confusão e mais sofrimento. Aprenda com a dica da definição do dicionário: recaída é cair outra vez. Por isso, se você precisar de companhia, chame sua amiga ou amigo do fim do relacionamento. Se ficar com tesão... bem, resolva isso também. Apenas não procure o seu ex.

SITUAÇÕES ESPECIAIS

Você não ouviu o que nós dissemos? Não tem escapatória, por isso nem adianta procurar. Vocês podem até trabalhar juntos, morar no mesmo condomínio, acompanhar a mesma banda de rock de cidade em cidade, ou pertencer à mesma associação de crédito, sem ter de interagir social ou romanticamente. A menos que vocês dois sejam atores e trabalhem na indústria de filmes pornográficos... aí vocês estão ferrados.

AS PESQUISAS INFORMAM

Isso vai ser um banho de água fria para você, mas quase todas as pessoas da nossa pesquisa concordam que a melhor atitude é realmente nem ver nem ir para a cama com o ex! Não há uma só pessoa que tenha insinuado que ter uma recaída ajudou alguém a seguir em frente. E mesmo se tivesse, nós não teríamos contado para você. Portanto, não faça isso, gata!

DOMINGO	SEGUNDA-FEIRA	TERÇA-FEIRA	QUARTA-FEIRA	QUINTA-FEIRA	SEXTA-FEIRA	SÁBADO

E você pensava que o fim do seu namoro tinha sido péssimo!

Meu namorado e eu ficamos juntos por maravilhosos dois anos e meio. Foi amor à primeira vista, e nosso relacionamento não foi só o melhor que eu tive, mas também motivo de inveja de todos os nossos amigos. Só que depois de dois anos e meio, comecei a pressioná-lo para marcar a data do nosso casamento. No início não foi problema, mas depois notei que ele de fato relutava em assumir o compromisso. Por isso, depois de algumas doses a mais no casamento de uma amiga, eu disse a ele que ou ele marcava a data naquele instante, ou estava tudo terminado entre nós. Ele quis pagar para ver, então tirei a aliança de noivado do dedo e enfiei na cobertura da fatia dele do bolo de casamento, pensando que aquilo provocaria nele um efeito dramático. Bem, provocou sim, porque depois daquela noite ele se recusou a me devolver o anel e deixou de se referir a mim como sua noiva. Quando eu disse que não estava disposta a ser rebaixada de noiva para namorada, ele terminou tudo comigo de vez. Fiquei arrasada e pensei que realmente tinha estragado tudo com o cara perfeito.

Em vez de ir embora e manter a minha dignidade, eu me vi implorando para ele me aceitar de volta. Ligava para ele sem parar, mandava e-mails, passava na casa dele sem avisar, encontrava com ele de propósito e muitas vezes dormia com ele, na esperança de reconquistá-lo e fazê-lo lembrar do que nós tínhamos juntos. Mas, apesar de ele ficar muito contente de me ter de novo na cama, não me devolvia o título de namorada, menos ainda de noiva. Portanto, eu tinha deixado de ser a noiva dele para ser uma transa de uma noite, e me culpava por ter deflagrado aquele pesadelo todo. Então, como se tudo isso não bastasse, descobri que ele também estava namorando, transando por aí, curtindo a liberdade dele, enquanto eu fazia questão de me humilhar toda semana. Fiquei completamente sem chão e nunca me desprezei tanto – me sentia até envergonhada demais para reclamar do comportamento dele.

Finalmente a minha melhor amiga me implorou para parar de vê-lo. Ela já tentava me afastar dele havia um tempo, mas nesse dia ela disse uma coisa que me fez cair na real – que se ele fosse o amor da minha vida, ou o homem que merecia ser meu marido, JAMAIS teria permitido que eu me rebaixasse e me tornasse esse brinquedinho sexual patético no qual havia me transformado. Fui nocauteada. Primeiro, fiquei com raiva e me senti ofendida, mas lá no fundo sabia que ela estava certa, e passei semanas chorando. Chorei a perda do meu noivo, chorei a perda do futuro que pensava que íamos compartilhar. Mas chorei mais ainda porque fiquei mortificada de ver no que eu havia me transformado – numa mulher desesperada que se joga em cima de um homem que evidentemente julgou mal. Depois desse período de lamentação e luto, eu me reergui, levei minha melhor amiga para um spa por um dia e agradeci muito a intervenção dela. Parei de pensar no meu ex bem depressa e agora, um ano e meio depois, estou melhor do que nunca. Ouvi dizer que ele está noivo outra vez. Parece que propôs noivado para essa mulher na quinta vez que saíram juntos, e considero isso um sinal de que ele servia para outra pessoa. Quanto a mim, aprendi que ninguém vale a nossa perda de dignidade, conheci depois disso um cara que me inspira a ser uma pessoa melhor e que me ama mais quando minha auto-estima está lá em cima, não lá embaixo!

Rochelle

Nova Zelândia

Sétimo Mandamento
(e este não é negociável)

Não vai funcionar se você não for O CENTRO DAS ATENÇÕES!

Você é o prêmio, o sol, a lua e as estrelas. Não é ele, nem ninguém. Você pode gostar dos seus amigos, pode amar a sua família e pode adorar todos os cães vira-latas e caixeiros-viajantes perdidos que cruzarem o seu caminho. NO ENTANTO, você precisa aprender a se amar, a se gostar e a pôr você em primeiro lugar, antes de conseguir encontrar o relacionamento saudável, amoroso e duradouro que está procurando. Ser a número um significa que pode cuidar de você mesma quando não tiver ninguém que o faça, porque há momentos nas nossas vidas em que todos nós temos de perseguir essas coisas, e saber que podemos nos virar nesses momentos, além de nos dar segurança, é uma qualidade muito atraente (nós achamos). As pessoas adoram ajudar umas às outras, mas ninguém tem tempo para ficar carregando você. E você não quer ser carregada. Se tirar alguma coisa deste livro, deve ser que você é definida pelo modo que vive sua vida, não com quem vive e certamente não por tudo que abdica de ser e de fazer para estar com aquela pessoa

Então, o que quer dizer amar você mesma de verdade? Acima de tudo, amar você mesma significa sentir-se completa quando está sozinha. Além desse ser um lugar extremamente gratificante para estar emocionalmente, é também uma qualidade muito atraente quando se trata de relacionamentos amorosos. As pessoas não sentem que precisam assumir a responsabilidade pela própria vida, porque você é responsável por si mesma. Não existe aquele fator de carência que exerce pressão excessiva na outra pessoa. Vocês entrarão no seu próximo relacionamento como iguais, que esperam e estimulam o que há de melhor em cada um. "Então é isso que os homens querem, alguém que se ame?", você pergunta. Quem se importa? É hora de descobrir o que *você* quer. Amar a si mesma e sentir-se completa não são táticas para agarrar um homem – esse é um bônus extra que vem mais tarde. O seu crescimento emocional e o seu bem-estar devem começar com você, não com outra pessoa, e deve ser *para* você, não para outra pessoa.

Se você um dia conversasse comigo e com Amiira, nós diríamos que parte do motivo de termos ficado juntos foi que tínhamos aprendido muita coisa com nossos relacionamentos e separações do passado. Que nós tivemos de pensar muito que a idéia de ficar sozinho parecia melhor do que assumir um compromisso novamente. E nós dois trabalhamos muito em nós mesmos. Não só aquele tipo de trabalho "Perdi peso, essa calça ficou boa em mim?", mas do tipo "Por que sempre acabo me envolvendo nesses relacionamentos de merda?". Do tipo que nos faz procurar ver nossos problemas com objetividade e tentar descobrir que papel nós desempenhamos neles, mesmo que o nosso papel tivesse sido apenas comparecer sempre para ter maus momentos. O legal nesse tipo de ponto de vista é que evita que você se faça de vítima. Vítimas culpam os outros. Mas, se você reconhecer o seu papel nessa história, poderá fazer alguma coisa no futuro para não se envolver mais em situação parecida, ou pelo menos entender o que é, antes que seja tarde demais. Por isso agora é hora de dar uma boa olhada em si mesma e assumir a responsabilidade. Não apenas responsabilidade pelos erros que pode ter cometido, mas também pelas coisas certas que andou fazendo por tanto tempo que você – ou ele – se recusou a reconhecer. Uma das grandes alegrias da vida é chegar a um lugar em que você realmente goste de si mesma. Não da idéia de quem você pensa que é, ou de quem quer se tornar, mas da alma viva, imperfeita e incrível que está lendo esta frase neste exato momento. A única maneira de fazer isso é explorando você mesma. Eu sei que isso parece piegas e meio reprovável, mas a intenção é servir de inspiração.

COMO É QUE EU VOU FAZER ISSO?

Você já está fazendo. Está participando neste momento, simplesmente por estar lendo este livro. Quer dizer que está agindo, procurando respostas, se afastando da dor e indo na direção certa. Você está sempre procurando. Você tem o que muitos não têm – a disposição para ver, a vontade de ouvir e o desejo de aprender. Isso já é metade da batalha, garota. Por isso, pare aí mesmo e bata palmas para você, já que não estamos aí para aplaudi-la de pé como merece. A não ser que esteja numa livraria, mas pode ser meio embaraçoso... aliás, por que não comprou o livro? Se já chegou até aqui, mesmo tendo registrado apenas um pouco do que dissemos, você continua agindo, e esperamos que esteja começando a se sentir melhor com você mesma, com a separação e com o seu futuro. Grandes realizações e conquistas levam tempo para se concretizar, mas sempre valem o esforço. A descoberta de como gostar de você mesma não vai acontecer da noite para o dia, mas entenda uma coisa: a parte de você que a levou a ler este livro é a parte que ama você, por isso saiba que ela existe. Preste atenção nessa voz, porque ela quer que você seja uma vencedora.

Se você realmente fez aquilo que recomendamos, como cortar qualquer contato, empacotar as coisas dele e preencher seu tempo com atividades que a fazem se sentir forte e realizada todos os dias, então você provavelmente já está trilhando o seu caminho para uma recuperação completa, e poderá se tornar uma grande amiga de fim de relacionamento algum dia. Bravo para você, Guerreira Poderosa da Separação! Continue fazendo o que está fazendo!

O SUPERLIVRO DA SUPERAÇÃO DA MULHER INTELIGENTE

Ponha para fora. Você ouviu. Abra aquele seu caderno onde andou escrevendo, rabiscando e colando coisas. Escolha uma folha em branco e cole a fotografia melhor e mais *sexy* que tiver por aí, bem no meio. Em volta da foto, você vai desenhar seu novo Brasão Real da Guerreira Poderosa da Separação. Escolha suas cores favoritas e desenhe coisas que representam quem você é e o que quer da vida. Cole imagens da sua vida, de revistas, qualquer coisa. Faça algo bem colorido, alegre, forte, punk, pop, carinhoso e maravilhoso. "Muito bem, é isso aí, é a última gota. Vocês, caras, são ridículos! Querem que eu faça uma capinha também e saia correndo por aí dizendo: Olhem! Sou uma supermulher e estou superando a minha separação!?" Ei, não é uma má idéia. Ora, você já chegou até aqui. Não estamos pedindo para você mostrar sua obra para suas colegas de trabalho, por isso responda: por que você tem medo de fazer isso? Quem é mais legal do que você? Ninguém. E sabe por quê? Porque você não liga para o que os outros pensam e merece ver um tributo a você mesma! (E também porque não estamos aí para fazer um para você.)

Na página seguinte, ou na parte de trás da página com seu novo brasão, escreva a seguinte declaração: "Aqui estão as coisas maravilhosas que eu já sei a meu respeito: sou mais forte do que pensei que era. Sou resistente e flutuo diante das adversidades emocionais. Também flutuo na água. O melhor investimento que posso fazer é em mim mesma. Sinto-me bem comigo mesma todos os dias." Continue escrevendo tudo que puder pensar e termine com "Temos de reconhecer, eu sou o máximo!".

Agora faça uma lista das coisas que você quer – não apenas num cara, mas o que quer para sua vida. Faça a lista com todos os detalhes que quiser. Agora, ponha uma das mãos sobre o coração e repita a seguinte declaração em voz alta:

JURO ASSUMIR O COMPROMISSO DE VIVER E RESPIRAR A MINHA LISTA TODOS OS DIAS, EM TODOS OS RELACIONAMENTOS, AMIZADES, NO TRABALHO E EM TODAS AS EXPERIÊNCIAS QUE TIVER PELA FRENTE, DESDE AGORA POR TODA A ETERNIDADE E MAIS TRÊS SEMANAS DEPOIS DISSO.

CARA, EU SEI O QUE VOCÊ ESTÁ PENSANDO

Um dia abri o meu caderno e me deu um branco completo. Não estava me sentindo mal. Para dizer a verdade, estava me sentindo ótimo e não queria baratear aquela sensação com minhas palavras idiotas naquele caderno cretino (que simplesmente sou eu me revisando e não é esse o objetivo de escrever um diário). De qualquer forma, ainda queria comunicar alguma coisa, por isso comecei a desenhar o que acabou sendo uma espécie de brasão. Era como um escudo com um coração e duas guitarras em cruz como os ossos sob uma caveira, e em cima uma coroa. Bem típico de um carinha legal. Era completamente no estilo do pessoal do ensino médio, mas era exatamente assim que eu me sentia. Então, fiz uma flâmula e escrevi as palavras "Honra, Dignidade e Classe" dentro dela. Mongo, certo? Foi o que pensei, até que me surpreendi olhando para aquilo toda vez que sentava na privada. Era como se fosse um código que tinha de seguir. Eu realmente havia criado uma vida com palavras nas quais acreditava, porque, acredite em mim, eu não estava vivendo com honra, dignidade e classe antes, e agora essas palavras tinham se transformado na fortaleza da minha crença. Se isso vai funcionar para você? Quero que funcione. Porém, mais do que desenhar um brasão, ou do que recortar imagens, quero que você descubra que superou essa situação louca e baratinada com novas palavras e idéias que nortearão a sua vida. E tomara que faça tudo que for preciso para lembrar disso todos os dias.

SITUAÇÕES ESPECIAIS

Ah não, nada disso! Não há nenhuma situação especial dessa vez, gatinha. Não existe situação que possa ser melhor cuidada se você não chegar à conclusão de que você é a melhor que existe. Entendeu?

AS PESQUISAS INFORMAM

O que há de mais inspirador nas nossas pesquisas é saber das pessoas que elas não só aprenderam com suas horríveis separações e fim de namoro, como também encontraram nelas mesmas a oportunidade e a necessidade de uma mudança pessoal. Uma mulher poderosa do Kansas disse que o fim do relacionamento foi uma inspiração para ela avaliar todos os relacionamentos que tinha e teve na vida. Descobriu que estava cometendo muitos erros iguais na hora de escolher amigas, e que era hora de parar de se cercar de pessoas que não lhe davam valor. Outra Guerreira da Separação escreveu para nós que depois do fim do namoro ela fez uma grande faxina na cabeça e descobriu que, além de estar se agarrando a um relacionamento ruim, também mantinha amizades sem sentido e um emprego que não representava mais nenhum desafio ou inspiração. Ela cortou o peso morto da sua vida – os amigos que dificultavam as coisas e o emprego que não tinha futuro – e começou a fazer escolhas à altura da pessoa que ela era. Uma mulher muito sábia percebeu o tipo de exemplo que estava dando para a filha com seu relacionamento e subseqüente separação. "Como posso esperar que minha filha encontre um relacionamento saudável e amoroso se eu, que devia servir de modelo para ela, andei me conformando com infidelidade e desrespeito e agindo como uma doida insegura?!" Essa revelação fez com que ela mudasse completamente e pusesse sua vida em outro trilho.

E você pensava que o fim do seu namoro tinha sido péssimo!

Fui casada por alguns anos com um homem que eu achava que era "o cara", embora ele me mostrasse o tempo todo que, apesar de ser meu marido, não estava tanto na minha assim, em todos os sentidos. Por isso, depois de anos

arrastando o casamento, finalmente admiti que era hora de partir para outra. O divórcio não fazia parte do meu grande plano, e, apesar de ter sido uma separação amigável, eu continuava sofrendo demais. Embora tenha seguido com a minha vida e mergulhado em outro relacionamento em menos de um ano, levei anos para realmente superar a obsessão pelo meu ex marido – e mais tempo ainda para eliminá-lo completamente do meu organismo. Infelizmente, durante esse tempo continuei a ter relacionamentos para os quais me faltava capacidade emocional para manter. Além de não ter aprendido nada com meus erros anteriores, parecia que eu estava testando a validade deles, cometendo-os novamente. Não importava se eram dois encontros, dois meses ou dois anos, o fato é que eu sempre acabava namorando o mesmo cara.

Acabei resolvendo experimentar só "ficar", em vez de ter um namorado para o qual não estava preparada. Na época, parecia uma idéia revolucionária. Então passei a ficar, sem compromisso, com alguns palhaços diferentes, e todos eles exibiam constantemente bandeiras vermelhas de alerta, assim como qualidades bem pouco convincentes. Houve um cara que me perseguiu, que tinha uma namorada por quem ele "não estava apaixonado, mas não podia terminar", por isso me pedia para encontrá-lo em lugares mais distantes, para nossos encontros não representarem tecnicamente nenhum compromisso. Que partidão! Havia outro que telefonava para mim duas vezes por dia, íamos jantar fora em restaurantes caros e depois ele me deixava tonta com histórias sobre seu passado de drogas, de ter levado para a cama centenas de mulheres, inclusive as melhores amigas e a irmã das namoradas. Um nojo! Mesmo assim, ainda saí com ele meia dúzia de vezes. Tive outros que mal consegui suportar em uma única saída. Mas o mais incrível é que dessa vez, além de reconhecer as bandeiras vermelhas desde o início, eu não as ignorei, nem deixei que outras características melhores as camuflassem. Acreditem se quiser, mas esse foi um passo IMENSO para mim!

Então um dia, reconheci que um homem fantástico, de fato, tinha surgido na minha vida (outro passo IMENSO!). Pela primeira vez, fui nocauteada pelas grandes qualidades de alguém, e não pelas características perigosas. Quando começamos a namorar, tudo parecia acontecer sem esforço algum e quando estávamos juntos a sensação era de que podíamos fazer qualquer coisa, literalmente. O nosso relacionamento era tranqüilo e inspirador e nos conduzia rumo a uma versão ainda melhor do que éramos individualmente. Foi uma viagem bem longa, mas eu finalmente havia encontrado "o cara" e agora estou tendo uma vida incrível e maravilhosa. Estou casada com um homem que me faz rolar de rir todos os dias e é o melhor marido que eu podia querer na vida. Temos duas filhas incríveis que são (não leve a mal) as pessoas mais perfeitas que já tive o prazer de conhecer. E eu estou até escrevendo este livro que você está lendo agora. Desejo essa mesma magnificência na sua vida.

Amiira
Burbank, CA

Para as que estão COMEÇANDO A SE RECUPERAR

No fim das contas, só você pode se fazer feliz. "É mesmo? Por que vocês não escreveram isso no início do livro?" Porque não existe uma frase que cure a separação comum ou incomum, nem mesmo uma frase muito boa. A única coisa que nós sabemos, com certeza, é que essa droga desse acontecimento pode realmente modificar a nossa vida. Foi o que aconteceu conosco. Tomara que você se lembre dessa separação e sinta-se grata por ela quando estiver vivendo sua vida maravilhosa com a pessoa certa que a torna mais ainda uma superestrela, mais do que você já é.

As sugestões neste livro são exatamente isso, sugestões (mas nós achamos que são muito boas, e foi por isso que as apresentamos a você). Não somos doutores nem terapeutas, apenas pessoas como você que queriam compartilhar as experiências ao passar pelo mesmo tipo de sofrimento. A única coisa que queremos mesmo enfatizar é que você deve pegar leve consigo mesma. Digamos que você começa o seu plano de sessenta dias, fraqueja e se encontra com ele depois de duas semanas. E daí? Nada demais. Comece de novo. Você não quer escrever um diário? Não escreva. Mas, se depois de um tempo, sentir que não está melhorando, experimente. O que você tem a perder? E se não agüentar mais tudo isso, por favor, procure um profissional. Nós já vivemos situações semelhantes e não nos importamos de que jeito você vai superar essa crise. Apenas queremos que você acabe superando. A mulher poderosa que sempre foi seu destino ser está esperando para brilhar; ela está apenas soterrada sob toda essa bobagem da qual você tem de se desvencilhar.

O principal objetivo do nosso livro é ajudá-la a executar mudanças na sua vida e em você para poder estar disponível e preparada para o relacionamento CERTO. Eis o que sabemos, com certeza: nenhum relacionamento que você tenha vai funcionar... até que encontre aquele que funciona. E quando você encontrar "o cara", a diferença entre esse relacionamento e os outros, anteriores, será profunda e inacreditável. Boa sorte e cuide-se.

Amor dos seus amigos do fim do relacionamento,

GREG E AMIIRA

CAPÍTULO EXTRA

CARA, SAI DA COLA DELA!

(Companheiro do fim do relacionamento para o cara durão)

Ouvimos dizer que os homens não compram esse tipo de livro. Talvez eles passem por processos diferentes quando se separam ou terminam o namoro. Eles tomam porres, se plantam na frente da sua casa, berram com os jogadores de futebol na televisão e talvez até entre para uma banda. Mas eu teria gostado muito de um livro como este quando estava sofrendo para evitar perder o juízo. Bem, se você é um homem e está lendo isto aqui, agora, deve estar sofrendo muito mesmo, porque ESTE É UM LIVRO DE MULHER! Ha, ha, estava só brincando. Escrevemos pensando nas mulheres, mas tudo que recomendamos aqui serve para os dois. Cara, eu já passei por essa barra. Por isso mesmo sei como escrever sobre o assunto. Mas, caso você não queira se aproximar do caixa para comprar "O companheiro do fim do relacionamento da mulher inteligente", por que não lhe damos um resumo detalhado para ver se não ajuda um pouco?

REGRA NÚMERO 1: ELA NÃO VAI VOLTAR!

Você precisa se convencer disso, senão não vai conseguir superar nada. "E se eu acampar na frente da casa dela, como fazem nos filmes?" Meu irmão, a imagem é poderosa, mas, como dissemos para as meninas: no mundo real, o cara que acampa na frente da casa dela vai preso. Você ficará contente de ter adotado essa atitude logo no início. O único poder que tem nessa situação é se desligar. Estou falando de desligamento completo por dois meses! O que significa não falar com ela, não vê-la, nem ir para a cama com ela. Sério? É, é estranho, mas dormir com a sua ex parece que atrai o sofrimento. Esquisito, não é?

REGRA NÚMERO 2: LARGUE ESSE COPO

Você nem precisa falar da doce alegria de ficar de porre para aliviar a dor de um fim de namoro ou casamento. Aquelas primeiras doses de tequila realmente fazem efeito... até você se ver embaixo da janela dela, assistindo a sua ex transando com o novo namorado. Olha, nós todos adoramos os alimentos que nos consolam, seja uísque, sorvete (é, os homens também fazem isso), ou um saboroso filme pornô (que você não deve comer). Mas o excesso de qualquer uma dessas coisas apenas impede que você trabalhe a sua dor. Cara, vai doer. Deixe doer. Receba o sofrimento. Diga: "Oi, sofrimento. Eu sei que temos negócios a tratar, você e eu, mas não vá se espalhando, porque não ficará por aqui muito tempo." Procure se respeitar nesse período horroroso. A lei é: não ponha nada no seu corpo se isso vai torná-lo um gordo triste ou se vai fazer com que parta para briga com uma árvore. A árvore sempre vence.

REGRA NÚMERO 3: ARRUME UM COMPANHEIRO DE FIM DE RELACIONAMENTO

"O quê? É isso mesmo? Chamar um outro cara e pedir para ele ficar comigo enquanto estou triste e me sentindo um merda? Ficou louco?" Louco? Não. Sério? Sim. É melhor do que ir preso por invadir o apartamento dela e revirar a gaveta de calcinhas. Lembra-se daquela cena de *Swingers – Curtindo a noite*[1], quando Ron Livingston vai ao apartamento de Jon Favreau levando um suco de laranja e sanduíche de salame para tentar trazê-lo de volta para o mundo? É isso que faz um companheiro de fim de relacionamento. Alguém que fica de olho para garantir que você não vai estragar tudo ou sumir da face da terra, alguém para quem você vai dar seu telefone celular quando fraquejar e beber a cidade inteira. Alguém para devolver as coisas dela ou para pegar as suas de volta para você não ter de fazer isso, e alguém para lembrar sempre que essa fase ruim também vai passar.

REGRA NÚMERO 4: MOVIMENTE-SE PARA SUPERAR ISSO, CAMPEÃO

O fim de um relacionamento é uma excelente oportunidade para, bem... ser homem, garotão. Gostaria de ter prestado atenção nisso, eu mesmo. Tenho poucos arrependimentos na minha vida, mas, cara, eu queria ter tido um pouco de dignidade naqueles dias de desespero. Sei que é difícil.

[1] Se você não assistiu ao filme *Swingers – Curtindo a noite* de Jon Favreau, com o sempre incrível Vince Vaughn, alugue. É como um filme de príncipe de mulherzinha, só que para homens.

Existem poucas coisas piores do que a sensação que nós temos quando alguém não está a fim da gente. Especialmente quando em determinado ponto elas estavam. Parece que levamos um soco na barriga e é difícil ter motivação para fazer qualquer coisa. Não perca seu tempo com o PlayStation, comendo Doritos. Faça o contrário. Se sua vontade é dormir o dia inteiro e matar o trabalho, faça o contrário. Acorde cedo, dê uma caminhada ou uma corrida, tome um café da manhã bem saudável e depois mate o trabalho. Você sabe o que eu quero dizer. Você tem de entrar em ação. Exercício é o segredo. Eu não sei por que às vezes é tão difícil fazer isso, mas toda vez que faço, eu me sinto melhor. Toda vez! Não precisa ser uma malhação interminável, você pode simplesmente dar uma volta no quarteirão correndo devagar, mas faça alguma coisa todos os dias. Não vai deixar essa fase horrível derrotar você.

A MELHOR PIOR NOTÍCIA

O que eu posso dizer é que o fato de uma garota que não estava na minha ter dado um soco no meu coração pode ter sido o que salvou minha vida. Como já contei em detalhes no resto do livro, eu estava caminhando na velocidade da luz para Lugarnenhumpolis, levando uma garrafa de tequila embaixo do braço. Parecia que eu ia deixar aquela tristeza me matar, até a manhã que acordei e descobri "Eu posso recomeçar. É a minha vida, e aqui ó, se vou deixar um fim de namoro idiota me destruir". Você já ouviu falar do ditado "O que não mata engorda"? Está certo. Eu virei o fim do relacionamento do avesso e o esmaguei. Você pode fazer a mesma coisa. Lembre que o tempo realmente leva tempo para passar, mas que você vai superar isso. Faça tudo com dignidade, cara.

SIGA O CONSELHO DE UMA MULHER QUE SABE DAS COISAS

AMIIRA

Eu já joguei nos dois times do campeonato de fim de relacionamento. É claro que o time Quem Termina é sempre o vencedor. Eles sempre zeram o placar com o Quem Termina todos os anos. Mas quando a poeira baixa e os times se cumprimentam depois do jogo, ninguém se considera o vencedor. Por isso, apesar de você estar sofrendo, console-se com o fato de que ela também não está feliz com isso. Você pode reler a primeira parte deste livro para ter uma idéia de como eu lidei com a minha dor-de-cotovelo. E quando fui eu que terminei? Bem, esse é um caso totalmente diferente.

Quando é você que resolve terminar o relacionamento, há sempre aquela sensação de alívio quando finalmente encontra coragem para fazer isso. Mas aí pode acontecer uma de duas coisas: o cara pega suas coisas e se manda, o que faz você ficar pensando como ele está e começa a refazer a história do fim do seu relacionamento – a versão em que ele é um cara maravilhoso que vai deixar muita saudade, e aí você lembra do tempo que passaram juntos com carinho. Quando encontrá-lo novamente meses depois, vai se sentir estranhamente atraída por ele.

E há o cara que não aceita a má notícia. Ele brinca de batata quente com a separação, joga o tempo todo a batata nas mãos e se recusa a ir embora. É aquele que suas amigas vão odiar para sempre e chamá-lo de "Ex-namorado maluco". Quando encontrá-lo novamente, anos depois da ordem judicial para manter-se longe de você, não sentirá atração nenhuma por ele, terá apenas a lembrança do seu mau comportamento.

Já tive os dois tipos de fim de relacionamento, e peço que você seja, se possível, o cara que vai embora com dignidade. Mesmo que vá chorar no seu travesseiro por um mês e que quebre todos os pratos da casa, faça isso sozinho ou na companhia do seu companheiro de fim do relacionamento. Tempos depois você vai dar graças por ter feito assim.

Tive um namorado que era um daqueles melhores-amigos-só-que-a-fronteira-ficou-meio-indefinida e, de repente, ele passou a ser meu melhor namorado. Ele tinha muitas qualidades e éramos ótimos como amigos, mas acabamos nos desentendendo no relacionamento romântico. Não combinávamos, por isso em vez de magoar o sentimentos dele, terminando o namoro, eu me distanciei até ele terminar comigo. Saí do relacionamento, mas foi idéia DELE – algo que eu havia passiva-agressivamente orquestrado e que me deixava satisfeita (uma jogada clássica de pegar no contracorrente). Bem, ele descobriu e, apesar de ter terminado comigo, não aceitou de jeito nenhum. Ficou acampado na frente da minha casa por quase seis meses, ameaçando quebrar todos os vidros do meu carro se eu não abrisse a porta para ele, invadiu minha caixa de mensagens de voz e mudou a minha senha para poder ouvir meus recados, e berrava da frente da minha casa exigindo saber quem estava lá comigo, porque tinha ouvido uma voz de homem do lado de fora da minha janela (que era da televisão, mas não havia como convencê-lo disso, nem depois que ele invadiu cada cômodo da minha casa minúscula e ainda foi procurar no quintal dos fundos). Era doido, assustador e triste, porque era alguém que eu tinha amado e gostado de verdade, que tinha achado inteligente, engraçado, surpreendente e todas as outras coisas que pensamos sobre o nosso melhor amigo/namorado. Só que ele estava surtando, e nada que eu ou os amigos dele fizéssemos mudaria isso. Mesmo quando namorava outra, ele continuava aparecendo na minha casa às duas da madrugada, toda noite, porque "Se eu não consigo dormir, você também não vai conseguir" – que é uma coisa maravilhosa para se dizer. Realmente um momento marcante. Durante todo esse período de loucura, não contei o que estava acontecendo para muita gente. Não sei se queria protegê-lo ou se sentia vergonha de ter tão obviamente me equivocado a respeito dele e não querer admitir isso. Mas, depois de meses demais, cheguei à conclusão de que ficar de refém na minha própria casa todas as noites estava arruinando a minha vida e ainda não havia sinal de que aquilo fosse acabar tão cedo. Eu precisava me impor e tomar alguma providência e disse: "Se você aparecer aqui de novo, vou chamar a polícia." Depois disso, ele foi embora de vez.

Isso aconteceu há muitos anos e quando nos encontrávamos, por acaso, ele olhava para mim com raiva e comandava uma saída dramática com os amigos dele do lugar onde estávamos. Nesses últimos anos, quando nos encontramos, chegamos a conversar, e eu me lembrei de como ele era engraçado e charmoso. Mas a expressão dele sempre trai o constrangimento que sente com o que aconteceu. Pelo menos agora os amigos dele podem fazer brincadeiras sobre isso e ele tem distanciamento suficiente para ver que se comportou como um doido de pedra. E, por estranho que pareça, Greg e eu, por acaso, acabamos jantando com ele e um grande grupo de pessoas uma noite, e até o Greg gostou muito dele. Então, agora, em vez de ser o meu "Ex-namorado maluco", ele passou a ser o meu ex que "parece um cara muito legal que simplesmente surtou um tempo". Mas aposto que ele adoraria ser apenas "um cara maravilhoso que eu namorei".

APÊNDICE
(ou mais uma coisinha antes de terminar)

Então você chegou até o fim do livro e deve estar pensando: "O que mais eles podem ter para dizer?" Apenas isso: que, apesar de você estar neste momento embalando um coração partido, poderá algum dia estar do outro lado da cerca. Isso mesmo, você um dia vai terminar o namoro com alguém. E, quando fizer isso, esperamos que use a mesma consideração e classe que você aprendeu a usar durante a *sua* recuperação nestas páginas para despachar o pobre do cara. Vamos todos fazer a nossa parte para tornar o mundo dos relacionamentos um pouco melhor e a experiência da separação um pouco mais fácil. Pensando nisso, aqui vai a nossa seção de etiqueta do fim do relacionamento, para você poder ser uma verdadeira mulher poderosa e incrível, para você e para toda a humanidade.

1. Não fique adiando. É melhor fazer quando você percebe que tem de ser feito do que três meses ou anos mais tarde. Não desperdice o tempo dele enquanto analisa a sua vida. Não seja egoísta. Ah, e não espere que ele termine com você – isso é apenas crueldade.

2. Seja definitiva. Essa questão envolve os seus sentimentos, por isso domine-os. Não é algo aberto a debates, por isso não se deixe convencer a desistir. Você não vai querer ter de terminar com ele mais de uma vez. Uma mulher disse: "Por que ele deixou que eu o convencesse a desistir? Gostaria que ele tivesse sido mais firme." Pense só como seria esquisito ser "mais ou menos" demitida de um emprego. Então seja direta. Algo como "Gostaria de sentir outra coisa, mas não quero levar adiante esse relacionamento", ou "Estou sentindo que esse relacionamento não serve para mim". Ou alguma versão com seu jeito de falar. Você entendeu. Dê a notícia, e sempre se baseie nos seus sentimentos, não em alguma falha da outra pessoa.

3. Não diga coisas que sabe que podem levá-lo a ter esperança de alguma volta no futuro, se não vai haver futuro. Isso é algo bem comum que as pessoas fazem para se sentir melhor por ter de terminar um relacionamento. Um ótimo exemplo é "mas espero que possamos ser amigos". É claro que você espera isso mesmo, todos nós queremos ser amigos, mas, se você realmente quer ser amiga da pessoa que está levando um fora seu neste momento, seja clara para que ela possa prosseguir em seu caminho de cura. Terminar com alguém é horrível. O outro terminar conosco é mais horrível ainda. Então se você quer ser amiga, pense nele.

4. Seja honesta mas gentil. A conversa do fim do relacionamento não deve ser usada como oportunidade para fazer um rol de lavanderia de tudo que ele fez de errado e de tudo que deu errado no relacionamento. Conceda a ele dignidade própria.

5. Depois de cumprir sua missão, afaste-se. Não o procure para saber como ele está para aliviar a sua consciência, isso só vai confundi-lo. É, você se sente mal. É, você sente falta dele. Mas foi você que quis terminar, por isso não faça nada para aliviar o seu sofrimento passageiro. Dê a ele o espaço de que precisa para odiar você e superar a dor-de-cotovelo, para que um dia vocês talvez possam ser amigos.

AGRADECIMENTOS

O fim de um namoro ou de um casamento é terrível, e revivê-lo é muito desagradável, ou, então, muito hilariante. Portanto, gostaríamos de agradecer a todas as pessoas que enfrentaram essa tarefa por este livro e que contaram as histórias de suas separações para nós. Ficamos realmente maravilhados com a generosidade de todas as pessoas que participaram das nossas pesquisas sobre o fim dos relacionamentos. Suas histórias ajudaram muito a dar forma a este livro. E devia ser isso mesmo que vocês esperavam quando escreveram, certo? Nada disso teria sido possível sem o trabalho incansável e a dedicação de Julie James, Jon Thoday, Isaac Horne, Carmen Stockton, Andrea Barzvi, Greg Cavic e Tom Rowan. Vocês são demais! Um obrigado gigantesco para Ann Campbell, a editora mais inteligente, intuitiva e maravilhosa que podíamos ter, a sua visão e o seu entusiasmo foram uma contribuição inestimável na confecção deste livro. Obrigado a Julia Coblentz, Rex Bonomelli, David Drake, Ursula Cary e a todo o pessoal da Broadway Books. Estamos muito felizes de termos um lar com vocês. Um obrigado da equipe Behrendt para Kristen Behrendt, cujo esforço dentro e fora da área tornou possível escrever este livro. Liz Tuccillo e Michael Patrick King – não poderíamos amá-los mais... a não ser que fossem feitos de caramelo. Dave "Butterpants" Anthony e Dr. Alex Barzvi, cujas informações tornaram o livro melhor. Obrigada aos homens e mulheres que partiram nossos corações e que serviram de inspiração para escrever este livro. Um obrigado superespecial para Oprah Winfrey, que é... bem, ela é a Oprah, e lhe agradecemos por isso.

E o mais importante, a todos os nossos amigos e as nossas famílias que ficaram do nosso lado nas nossas separações e que nos deram força para correr na direção da luz... ou para o relacionamento mais saudável.

RR Donnelley
MOORE

IMPRESSÃO E ACABAMENTO
Av Tucunaré 299 - Tamboré
Cep. 06460.020 - Barueri - SP - Brasil
Tel.: (55-11) 2148 3500 (55-21) 2286 8644
Fax: (55-11) 2148 3701 (55-21) 2286 8844

IMPRESSO EM SISTEMA CTP